청소년을 위한
조영래 평전

청소년을 위한
조영래 평전

2021년 11월 15일 처음 펴냄

지은이 최용탁
펴낸이 신명철
편집 윤정현
영업 박철환
관리 이춘보
디자인 최희윤
펴낸곳 (주)우리교육
등록 제 313-2001-52호
주소 03993 서울특별시 마포구 월드컵북로 6길 46
전화 02-3142-6770
전송 02-6488-9615
홈페이지 www.urikyoyuk.modoo.at

ⓒ 최용탁, 2021
ISBN 978-89-8040-987-7 43990

청소년을 위한

조영래
평전

최용탁 지음

우리교육

차례

기억해야 할 그 이름,
조영래

2015년 12월 11일, 서초동 변호사회관에서 세상을 떠난 지 25년이 지난 한 변호사를 기리는 행사가 열렸다. 행사장 무대 스크린에는 '시대를 밝힌 자랑스러운 변호사 조영래'라는 문구가 떠올라 있었다. 30여 명이 참석한 가운데 문재인과 박원순, 박석운, 장기표, 전순옥, 천정배 등의 얼굴이 보였다. 참석자들을 소개할 때 간간이 작은 박수가 터지고 뒤쪽에 선 사진 기자들이 가끔 셔터를 누를 뿐, 조용한 분위기였다.

문재인이 먼저 단상에 올랐다.

"저는 엄혹한 시대가 만들어 준 운명으로 조영래 변호사님과 사법연수원 동기가 됐습니다. 조영래 형은 제가 인권변호사의 길을 걷게 하는 데 결정적인 영향을 주었습니다. 박원순 서울시장도 사법연수원 동기였는데, 마찬가지로 조영래 형의 영향을 많이 받았습니다. 저는 그 후 역사의 길목마다 이럴 때 조영래 형이 살아계셨으면 어떤 역할을 했을까 생각하곤 합니다. 그리고 그런 상상이 제 선택에 도움을 주곤 했습니다. 시대가 어려워질수록 조영래 형의 부재가 아쉽습니다.

우리 시대 최고의 휴머니스트 조영래, 암울한 시대에 보석처럼 빛났던 인권변호사 조영래, 그가 가는 길에는 항상 진실이 있었고, 정의가 있었습니다. 또 값진 승리가 있었습니다.

오늘 조영래 변호사님의 25주기를 맞이하여 시대를 밝힌 자랑스러운 인권변호사 조영래를 기억합니다. 그리고 그가 남긴 사랑과 헌신, 뜨거운 열정을 가슴에 품고 저 역시 그의 길을 뒤따라 걸어갈 것을 다짐합니다. 치열하게, 뜨겁게, 그렇지만 한없이 낮게, 가난하고 소외된 약자들과 고통받는 노동자들의 편에 서겠습니다. 그래서 평범하고 소박한 삶도 귀하게 대접받는 '사람 사는 세상', 국민 모두가 인간답게 살아가는 정의로운 복지

국가를 만들기 위해 쉼 없이 달려 나가겠습니다.

우리의 조변, 영래 형! 지켜봐 주십시오."

문재인이 자리로 돌아와 안경을 올리며 눈 밑을 훔쳤다. 눈물이 흐르지는 않았지만 두 눈이 붉게 변해 있었다.

조영래의 변호사 사무실에서 함께 일했던 박원순의 추모사가 이어졌다. 역시 '형'이라 부르는 그의 목소리가 뒤로 갈수록 떨렸다. 이어서 전태일 열사의 여동생으로 노동운동을 하다가 국회의원에 당선된 전순옥이 단상에 올랐다.

"…지금의 노동 현실을 보며 다시 조영래 변호사님을 떠올릴수밖에 없습니다. 우리들에게 인권과 사회정의를 가르치셨던 변호사님의 정신이 그립습니다. 사회의 약자를 위해 애쓰셨던 그 뜻을 우리가 조금이라도 최선을 다해 이어야겠다는 다짐을 합니다."

문재인이나 박원순은 누군가에게, 그것도 공식적인 자리에서 '형'이라는 호칭을 쓰는 사람이 아니다. 그들이 형이라고 불렀을 때, 그 '형'은 진짜 그리운 누군가가 분명하다. 두 사람이 대통령이 되거나 서울시장이라서가 아니다. 어쩌면 두 사람이 그 자리에 오르기까지 그 '형'이 있었던 것은 아닐까.

조영래!

그는 누구인가?

서른 살,
어느 여름 날

　책상에 앉은 조영래는 길고 부스스한 머리를 손으로 쓸어 넘겼다. 오늘도 꽤 찌려는지 아직 오전인데도 이마에 땀이 찼다. 수북하게 쌓인 자료 더미와 신문 스크랩, 담배꽁초가 가득 찬 재떨이를 앞에 두고 조영래는 심호흡이나 하듯이 다시 담배에 불을 붙였다. 긴 시간이었다.

　그가 남긴 다섯 권의 일기와 자료, 남겨진 어머니와 동료들을 만나며 얼마나 많은 날을 지새우고 눈물을 흘렸던가. 대학 노트에 빼곡하게 쓴 그의 삶, '어느 청년 노동자의 삶과 죽음'이라고 제목을 붙인 그의 생애를 앞에 두고 조영래는 담배 연기를 깊이 들이마셨다. 워낙 담배를 즐겼지만 거의 줄담배가 된 것은 전태일의 이야기를 쓰기 시작하면서였다. 이제 그는 탈고한 원고 앞에 넣을 서문序文을 쓰기 위해 백지를 앞에 놓고 있었다.

대학노트에 오롯이 담긴 전태일의 삶, 그것은 그의 삶이자 조영래가 혼신을 불어넣은 조영래의 삶이기도 했다. 마치 실핏줄이 엉킨 것 같은 원고는 지난 3년 동안 조영래와 전태일이 서로 부둥켜안고 울고 웃던 기록이었다. 하지만 이 원고가 책으로 나올 가능성은 거의 없었다. 자신에 대한 비판이나 저항에 대해 무자비한 탄압만을 일삼는 박정희 독재정권하에서 어느 출판사가 책을 낼 엄두나 낼 것인가. 그것은 목숨을 걸어야 할 일일지도 몰랐다. 이년 전에 터진 민청학련 사건으로 여덟 명이 형장의 이슬로 사라진 게 작년 봄이었다. 조영래 자신도 민청학련 사건으로 수배되어 세 해째 도피 생활 중이었다.

　　숨어 사는 홍제동의 한 단독주택 옥탑방은 뜨거운 여름 볕에 마치 끓는 듯했다. 서문의 내용도 어느 정도 머릿속에 정리되어 있고 참고할 자료 역시 책상 옆에 놓여 있었다. 다만 아직 첫 문장이 떠오르지 않을 뿐이었다. 셔츠 바람의 조영래가 펜을 잡았다. 일에 집중할 때면 언제나 그렇듯이 조영래의 눈동자에 빛이 나기 시작했다. 이 이야기는 인간에 대한, 그리고 불멸에 관한 이야기다, 아니 삶으로 보여 준 선언이다, 어쩌면 한 사회를 뿌리째 뒤집을 무서운 이야기일지도 모른다……. 온갖 생각이 머릿속을 오가는 중에 조영래는 짧게 첫 문장을 썼다.

우리가 이야기하려는 사람은 누구인가?

전태일全泰壹.[1]

수많은 사람을 전율케 하고 부끄러움에 떨며 눈물을 쏟게 만든 전태일의 평전은 이렇게 시작한다. 조영래는 터질 것 같은 가슴을 억누르며 다시 문장을 써 내려가기 시작했다. 얼핏 차분하게 읽히는 문장은 그러나 팽팽하게 긴장되어 있다. 마치 뇌관을 뽑기 전의 탄약처럼, 활시위가 팽팽하게 당겨진 듯한 문장이 쏟아져 나온다.

평화시장에서 일하던, 재단사라는 이름의 청년 노동자.

1948년 8월 26일 대구에서 태어나 1970년 11월 13일 서울 평화시장 앞 길거리에서 스물둘의 젊음으로 몸을 불살라 죽었다.

그의 죽음을 사람들은 '인간 선언'이라고 부른다.[2]

조영래는 다시 담배를 물고 숨을 골랐다. 자신보다 한 해 늦게 같은 대구에서 태어난 전태일, 동년배 친구라 할 그는 이미 6년 전 스물두 살의 나이에 세상을 떠났다. 그냥 떠난 게 아니었다. 가장 처절한 죽음이면서 모두에게 크나큰 부끄러움을 던져 준 죽음이었다. 수많은 밤과 낮 동안 그의 생애와 함께하면서 결국 조영래가 그 죽음에 대해 정의한 것은 '인간 선언'이었다. 사실 그 두 단어는 서로 어울릴 수 없는 것이었다. '죽음'과 '인간 선언'이라니, 그 머나먼 사이가 조영래가 살며 보아 온 내 나라의 현실이었다. 러시아의 격변기를 산 시인 네크라소프는 분노도 슬픔도 없는 사람은 조국을 사랑하고 있지 않다고 말했다. 서른 살의 조영래가 겪은 대한민국도 그것과 다르지 않았다. 다시 펜을 잡은 조영래의 손끝에서 전태일의 육성이 흘러나왔다.

……그는 말하였다.

인간의 생명은 고귀한 것이라고. 부자의 생명처럼 약자의 생명도 고귀한 것이라고.

그는 고발하였다.

이 사회의 밑바닥에는 인간이면서도, 짐승이 아닌 인간이면서도 "그저 빨리 고통을 느끼지 않고 죽기를 기다리는, 그리고 죽어 가고 있는 생명체들"이 있다고. 이들은 "모든 생활에서 인간적인 요소를 말살당하고 오직 고삐에 매인 금수처럼 주린 창자를 채우기 위하여 끌려다니고 있다"고.

그리하여 그는 맹세하였다.

"인간을 물질화하는 세대 …… 한 인간이 인간으로서의 모든 것을 박탈당하고 박탈하는 이 무시무시한 세대에서, 나는 절대로 어떠한 불의와도 타협하지 않을 것이며, 동시에 어떠한 불의도 묵과하지 않고 주목하고 시정하려고 노력할 것이다"라고…….[3]

모두 전태일의 일기에 담긴 말이다. 중학교 때부터 다닌 절에서 만난 어떤 스님도 그처럼 머리를 한꺼번에 깨우는 말씀은 없었다. 대학은커녕 중학교도 다니지 못한 한 살 어린 친구에게서 얻은 벼락같은 말, 그것은 삶을 송두리째 뒤흔들었다.

불의에 맞서 침묵하지 않겠다던 그는 결국 싸웠고 죽어 갔다.

전태일의 죽음……, 조영래는 마음을 가라앉혀야 한다고 느꼈다. 최대한 차근차근, 잠든 양심을 깨우는 목소리를 서서히 고조해 나가야 한다. 호흡을 가다듬고 조영래는 다음 단락을 시작했다.

1970년 11월 13일 평화시장 앞길에서 일어난 사건은 단순히 한 젊은 노동자가 죽어갔다는 것일 뿐이다.[4]

대학노트에 실핏줄처럼 빼곡하게 엉긴 글씨들, 맨 처음 조영래에게 다가와 그랬듯이 그 글을 읽는 모든 사람의 양심을 두드리는 쇠망치가 될 한 노동자의 생애였다. 하지만 책으로 펴낼 수 있는 상황은 아니었다. 전태일이라는 이름도, 심지어 노동자라는 단어조차 금기인 시대였다. 박정희의 유신정권은 철옹성처럼 굳건했고 독재정권을 반대하는 세력의 힘은 아직 약했다.

이마에서 땀방울이 흘러내렸다. 손끝에서 타던 담뱃재가 바닥에 떨어지는 줄도 모른 채 얼마나 시간이 흘렀을까.

그리고 마지막으로, 이제 전태일은 여러분에게로 간다.

이 결함투성이의 책자에 전태일에 관한 약간의 진실이라도 담겨져 있다면, 당신이 이 지구상의 어느 곳에 사는 어떤 인종·계층·신조·사상의 사람이라 할지라도 전태일은 반드시 당신에게로 가서 당신의 심장을 두들기며 "내 죽음을 헛되이 말라!"고 소리칠 것이다.[5]

조영래가 서문의 마지막 문장에 마침표를 찍고 쓰러지듯 바닥에 누웠다. 온몸의 힘이 다 빠져나간 것만 같았다. 글로 되살린 한 젊은 노동자, 그가 산 짧은 생애가 자신의 모습과 뒤섞여 누가 누군지 분간되지 않았다.

찌는 듯한 1976년 여름이었다.

어린 시절

조영래는 1947년 3월 26일, 대구 대봉동에서 태어났다. 아버지 이름은 조민제, 어머니는 이남필이었다. 위로 누나가 셋 있었고 조영래는 넷째이자 첫아들이었다. 나중에 남동생 둘과 여동생이 태어나 조영래의 형제자매는 모두 일곱이 되었다. 조영래는 대구에서 태어났지만 본래 조상부터 살던 곳은 경북 청송이었다. 일제 강점기 말기인 1942년에 아버지가 가족을 이끌고 도회지인 대구로 나왔는데 상대적으로 살기가 어려웠던 농촌에서 벗어나고자 했던 것이다.

아버지는 학교 공부를 제대로 못 했지만 머리가 비상했다. 혼자서 익힌 일본어를 읽고 쓸 수 있었고, 독학으로 비누나 양초를 만드는 법을 터득하기도 했다. 청송에서 대구로 나왔던 데는 그런 아버지의 자신감이 작용했을 것이다. 대구에서 아버지는 일본인이 운영하는 운송 회사에 직장을 구했고, 일제 말기 절정에 달했던 물자 부족과 가난 속에서도 가까스로 집안을 꾸려 나갔다. 그리고 일제가 패망하여 물러간 후에 연고가 있던 일본인 소유의 집을 인계받았다. 당시 일본인 기업가들이 조선에서 물러나면서 영영 돌아오지 못한다고 생각한 경우는 드물었다. 전쟁의 패배는 일시적이고 힘을 추스르는 대로 다시 조선으로 돌아올 것으로 생각했다. 그들에게 35년을 지배한 조선은 내지(일본)에 딸린 반도라는 인식이 뿌리박혀 있었다. 그래서 그들은 안면이 있는 조선인에게 집이나 공장 등을 맡기고 가기도 했다.

일본인이 살던 대봉동의 집은 꽤 큰 규모였다. 가까운 곳에 대구천이 흐르는 기와집 앞뒤 마당에는 대나무가 심겨 있고 커다란 감나무도 열두 그루나 서 있었다. 감나무는 단순한 과일 나무가 아니었다. 식량이 절대적으로 부족하던 시절에 곶감이나 홍시는 겨울에 먹을 수 있는 귀한 음식이었다. 조영래가 태어나기 1년 전이자 해방 이듬해에 일어난 대구 10월 폭동, 혹은 항쟁으로 불리는 대규모 소요 사태는 당시 미군정의 불합리한 곡식 배급 정책으로 굶어 죽을 지경에 이른 대구 민중의 항거였다. 수많은 희생자를 낳은 소요 기간에 조영래는 어머니의 배 속에 있었다. 태아였던 그 당시는 정치적 격변기이면서 굶주림이 가장 심했던 시기였다. 해방된 나라에서 차라리 일제 치하가 더 나왔다는 말이 나올 정도로 미군정의 식량 정책은 엉터리였다.

감꽃이 노랗게 떨어질 무렵은 아직 보리를 베기 전, 고개 중에 제일 높다는 배고픈 보릿고개였다. 금방 떨어진 꽃은 떫은맛이 났지만 시들시들 말린 다음 입에 넣고 씹으면 조금 달큼한 맛이 우러났다. 조영래의 집은 번듯했지만 양식이 넉넉할 리 없었다. 아침마다 마당에서 감꽃을 주웠고 그것으로 허기를 달래야 했다. 가을에 채 익지 않은 떫은 감을 소금에 절여서 먹고 겨울에는 곶감이나 말린 감 껍질로 허기를 달랬다. 감을 잘라 말리느라 널어놓으면 배고픈 아이들이 순식간에 집어먹곤 해서 '감쪽같다'라는 말이 생겼을 정도로 감은 귀한 과일이었다. 영래가 태어나자 마을 사람들이 '감꽃 먹고 낳은 아들'이라고 불렀다는 것은 해방 후 미 군정기의 처참한 식량 사정을 말해 주는 것이기도 했다.

집안에는 반드시 아들이 있어야 한다는 관념이 지배적인 시절, 딸 셋을 내리 본 다음 낳은 첫아들은 그 자체로 집안의 경사였다. 태어나자마자 영래는 집안의 중심이 되었다. 어머니는 많은 식구를 건사하며 알뜰히 살림을 꾸렸고 자식들에게 그런 어머니는 절대적인 존재였다. 당시 아버지는 집에서 작은 사업체를 꾸리고 있었다. 스스로 배운 기술이었는데 쌀겨에서 기름을 짜는 일이었다. 이를 미강유라고 하는데 다시 그 기름으로 비누나 양초 같은 제품을 만들었다. 한때는 20여 명의 직원을 거느릴 정도로 번창했는데 워낙 어려운 시절이라 사업은 오르내림을 거듭했다. 아버지는 머리가 좋고 기술력이 뛰어났지만 영업 능력은 그에 미치지 못했다. 전쟁 중에 납품한 곳에서 대금을 받지 못하는 일이 잦고 경쟁이 치열해지면서 사업은 내리막길을 걷게 된다.

어린 시절 조영래는 특별히 눈에 띄는 아이가 아니었다. 집안에서 귀여움을 듬뿍 받고 자란 장남답게 고집이 세고 호기심이 많았다는 것을 드러내는 일화가 조금 전해지는 정도다. 기껏 사준 세발자전거를 망가뜨리고는 다시 조립하려고 했다든가, 어항 속 물고기가 불쌍하다며 밖으로 꺼내놓는 엉뚱한 구석이 있었지만 늘 친구들과 대구천에서 멱을 감고 산과 들로 뛰어다니는 평범한 어린아이였다. 그 무렵 어쩌면 조영래의 집에서 그리 멀지 않은 곳에서 살던 한 살 아래의 전태일을 멱 감는 개울이나 거리에서 마주쳤을지도 모를 일이었다. 우리 현대사에서 뗄 수 없는 두 사람은 우연하게도 비슷한 경로를 걷기 때문이다. 아버지가 작은 가내 공업을 하던 것이나 사업이 어려워져 서울로 옮겨간 것이 둘 다 비슷했다. 물론 생활이 더 어려웠던 전태일은 어린 가장이 되어 노동자의 길을 가고 조영래는 대학생이 된다.

그리고 대학생 친구가 간절했던 전태일에게 조영래는 영혼의 단짝이 된다.

　영래 밑으로 세 명의 동생이 더 태어나고 집안 형편은 더욱 어려워져만 갔다. 결국 영래가 초등학교 2학년이 되던 해 감나무 집을 떠나 방천 가의 빈민촌으로 이사했다. 어린 시절부터 영래는 가난이라는 어둡고 혹독한 현실과 마주해야 했다. 점심은 먹을 생각조차 할 수 없는 배고픈 날들이었다. 그런 어려운 형편에서도 일곱 남매는 모두 머리가 비상했다. 유전적으로 형제자매들이 키가 크다거나 곱슬머리가 있는 것처럼 유전적으로 머리가 뛰어난 예도 있는 것이다. 조영래의 남매가 그런 경우였다. 나중에 전무후무한 성적으로 서울대학교에 수석으로 입학하는 조영래가 오히려 형제 중에 머리가 덜 좋은 편에 속할 정도였다. 물론 조영래에게는 타고 난 머리보다 훨씬 좋은 장점이 있었으니 그것은 다른 형제들이 따라올 수 없는 뛰어난 집중력이었다. 관심이 생기거나 재미가 붙은 일에는 무섭도록 집중했고 그럴 때는 옆에서 이름을 불러도 듣지 못할 정도였다. 책을 읽어도 그렇게 집중했기 때문에 짧은 시간에 남들보다 깊이 이해했고 웬만한 것은 줄줄 외우곤 했다. 먼저 학교에 들어간 위의 세 누이부터 줄줄이 특별히 공부를 잘하는 수재 집안이었다. 거기에 더해 가난을 벗어나고 고생하는 부모님에게 기쁨을 줄 수 있는 게 공부에서 남보다 뛰어난 성적을 얻는 것이라는 걸 남매들은 이심전심으로 알고 있었다. 대구초등학교에 다니던 조영래도 늘 전교에서 1, 2등을 다투는 우등생이었다.

방천 가 빈민촌에서의 생활도 오래가지는 못했다. 더 이상 대구에서 살기 어렵다고 판단한 아버지가 서울로 옮기기로 했기 때문이었다. 막상 이사하기로 했어도 서울에 별다른 연고나 기반이 있을 리 없었다. 아버지와 누나, 조영래가 먼저 서울로 가고 1년 후에 다시 온 가족이 모이는 힘겨운 이사였다. 1957년, 아버지와 대학생이 된 누나를 따라 서울로 온 조영래는 종로에 있는 수송초등학교 5학년으로 들어갔다. 수송초등학교는 지금은 폐교되어 사라졌는데 그때는 서울 한복판에 있는 좋은 학교였다. 낯선 서울에서 쉽게 적응하기는 어려운 일이었다. 억센 사투리를 신기해하고 부잣집 아이들 사이에서 영래는 한동안 마음을 잡지 못해 성적이 꼴등 가까이 떨어지고 말았다. 노골적으로 등수를 매겨 공개하고 공부를 못하면 학교에서도 눈에 보이게 차별하던 시절이었다. 고집 세고 자존심 강한 영래의 오기가 발동했다. 당시는 중학교도 입학시험을 쳐서 들어가던 때였다. 무서운 집중력을 발휘한 영래는 결국 최고 명문이라고 하던 경기중학교에 합격하였다.

경기중학교 입학은 그 자체로 속된 표현이지만 '가문의 영광'
이었다. 경기중학교 교모를 쓰고 다니는 것만으로 사람들의 부
러운 눈길을 받곤 했다. 과거로 치자면 진사시에 소년 등과 한
정도로 여겼다고나 할까.

중학교 다닐 무렵 안암동 개운산 아래 단칸방에 무려 열 식
구가 살았다. 아홉 명의 가족에 서울에 올라온 이종 누이까지
함께 살았던 것이다. 전학과 서울살이, 가난이 겹친 그 무렵 조
영래는 이른 사춘기와 현실의 무게를 함께 느끼며 정신적으로
빠르게 성숙해 갔다. 거기에 결정적으로 더해진 게 불교였다.

집 뒤에 안암산이라고도 불리는 개운산이 있었다. 도심 가운
데 있는 낮은 산이었는데 조금 걸어 올라가면 개운사라는 절이
있었고 대원암이라는 작은 암자가 절에 딸려 있었다. 애초에 영
래가 동생 성래와 함께 뒷산을 오르게 된 것은 공부하기 위해
서였다. 좁은 방안에 여러 식구가 살다 보니 마땅히 공부할 공
간이 없었다. 작은 밥상을 들고 성래와 산에 올라 공부를 하면
어쩔 수 없이 여러 상념에 젖게 되었다. 하늘을 떠가는 구름, 사
방에서 우는 새들, 나뭇잎이 바람에 나부끼는 소리를 들으며 영
래의 사춘기가 시작되었다. 높은 산은 아니었지만 꼭대기에 올
라서면 인수봉과 백운대, 불암산, 남산 등 서울을 둘러싼 산들
이 모두 눈에 들어왔다. 대구와는 완전히 다른 산세에 점차 눈

이 익으며 영래의 서울살이도 자리를 잡아갔다.

가끔 절을 오가는 스님들이 멈춰서는 숲속에서 책을 펴고 공부하는 어린 형제에게 말을 붙이기도 했다. 그렇게 스님들과 인연을 맺게 되었고 숲이 아닌 대원암 방에서 공부할 수 있었다. 그리고 평생의 의미가 된 불교를 접하게 된다. 훗날 조영래는 이 시기를 짧게 회고했다.

'나는 어린 시절에 우연히 절 동네에 살았던 인연으로 해서 일찍부터 불교의 영향을 받으면서 자라난 편이다. …… 내가 처음 심경心經을 읽은 것이 중학교 2학년 때였는데 한동안은 길을 가나 자리에 누워 있으나 "색즉시공 공즉시색"의 여덟 자가 뇌리에서 떠나지 않았다.'

어렸을 때부터 문자로 된 것은 모두 읽어 치우는 엄청난 독서가였던 영래는 불교를 접하자 역시 빠른 속도로 불경을 읽고 그 의미를 깊이 생각하였다. '색즉시공 공즉시색'은 불교 경전인 반야심경에 나오는 말로 여러 갈래로 해석이 되지만 큰 뜻은 '눈에 보이는 것이 전부가 아니고 모든 것은 변화한다'는 의미를 담고 있다. 영원하고 고정불변인 것은 존재하지 않기에 어디에도 집착하지 말라는 뜻도 있다.

"그렇다면 인간은 어떻게 살아야 하는가?"

중학 시절 최대의 화두를 끌어안았고 그것이 사실 특별한 것도 아니었다. 흔히 '중2병'이라고 하는 잘못된 호칭은 인류 역사 속에서 감수성 예민한 청소년기에 모두가 던졌던 가장 중요한 삶의 문제를 희화화시킨 용어 아닌가? 그런 본질적인 생각을 하면 공부에 방해가 된다는, 너무 수준 낮은 부모 세대가 발명한 말은 아닐는지.

조영래가 격렬하게 앓았던 것은 다름 아닌 '중2병'이었다. 어쩌면 조금 남다르게 깊은 병이었을지도 모르지만 누구나 한 번쯤 청소년기에 그런 물음을 던지지 않는 사람이 있을까.

'나는 누구고, 어떤 인생을 살아야 할까?'

중학생 조영래에게도 그것은 가장 큰 질문이고 고민이었다. 대원암의 스님이 그에게 한문과 불경을 가르쳐 주었다. 고민의 깊이만큼 영향도 커서 한때 대원암으로 출가할 생각을 했을 정도였다. 실제로 고등학교 때 승려가 되려는 작정으로 가족들에게 이야기하고 며칠 동안 절에서 지내기도 했다.

중학교 때 이미 '색즉시공 공즉시색'이 머릿속에서 떠나지 않았다는 사실에서 우리는 조영래가 지닌 가장 큰 덕성 중 하나를 엿보게 된다. 바로 '욕심 없음'이라는 덕목이다. 조영래의 평생에서 발견하기 어려운 게 바로 물욕이나 명예욕이다. 깊이를 알 수 없는 겸손과 다른 이들을 배려하는 마음 역시 불교의 영향이 컸다. 그는 중학교 때 충격으로 다가온 불교의 핵심 가르

침을 평생 지키며 살았고 그런 의미에서 진정한 불자였다.

전국의 수재가 모인 중학교에서 영래는 특히 영어를 좋아하고 잘했다. 영어사전을 한 장씩 외울 때마다 책을 찢어서 먹어버리는 무지막지한 공부법을 쓰기도 했지만, 영어에 몰두하게 된 것은 단순히 시험을 잘 보아야 한다는 것은 아니었다. 당시에 영어는 새로운 생각과 문물을 상징하는 언어였다. 일제가 물러간 후 곧이어 터진 전쟁이 불러온 폐허는 잿더미와도 같았고 새롭게 나라를 세워야 한다는 절박함이 시대의 화두였다. 힘든 시대에 비례하여 젊은이들이 사회에 헌신하고자 하는 열정 역시 드높았다. 절대적 힘을 과시하던 미국의 신문명과 민주주의라는 낯설고 가슴 뛰는 생각을 제대로 알고 받아들이려면 영어 공부가 제일 중요하였다. 조영래는 거기에 더해 영어로 된 원서를 읽고 싶은 마음으로 특별히 영어 공부에 몰두하게 되었다.

영어, 일어 등 어학에 뛰어난 소질을 보이면서 당시 학생들이 큰 관심을 두지 않았던 한문에 대해서도 영래는 뛰어났다. 어릴 때부터 유학의 영향으로 한문 공부를 한데다 불교 경전 공부를 통해 한문 실력이 부쩍 는 조영래는 중국 북송 때의 시인 소동파의 명문장 '적벽부'와 제갈량의 '출사표', '반야심경', '금강경', '천수경' 같은 불교 경전을 한문으로 줄줄 외고 쓰게 되었다. 성인이 된 후에도 꾸준히 이어진 '삼국지'를 원전으로 읽는 버릇도 이미 이 시절에 시작한 것이었다. 한시를 짓는 수준까지 이른 영래의 한문 실력은 선생님들조차 따라오기 힘든 정도였다.

중학교 3년 동안 집안 형편은 나아지지 않고 궁핍이라는 어두운 그림자가 떠나지 않았지만 영래의 내면은 단단해지고 어느새 집안의 기둥이 되었다. 영래는 단 한 번도 부모님의 마음을 상하게 한 적 없는 대단한 효자였다. 가족들은 내수동, 안암동, 종암동, 갈현동 등의 빈민촌을 옮겨 다니며 살았지만 집안은 화목했고 형제들 사이에 우애는 깊었다. 가난 외에는 더 이상 바랄 게 없을 정도로 주위의 부러움을 사는 가족이었다. 물론 그 부러움은 특출하다고밖에 할 수 없는 영래 형제자매들의 뛰어난 성취에 대한 것이었다. 이때 이미 영래의 누이들은 장학금을 받고 아르바이트를 하며 명문대학에 다니고 있었다.

정신적으로 크게 성숙한 영래는 전교 3등의 성적으로 중학교를 졸업하였고 역시 누구나 선망해 마지않던 경기고등학교에 입학하였다. 동기생으로 조영래를 포함한 '경기고 3인방' 김근태와 손학규가 있었고 보이지 않는 곳에서 늘 함께 움직인 신동수가 있었다. 이들은 장차 우리나라 민주화 운동을 이끌어갈 주축이었다.

그때 조영래의 집은 수유리였고 화동의 경기고등학교까지는 버스를 갈아타고 다녀야 하는 꽤 먼 길이었다. 동생 성래도 경기중학교에 다니고 있었기 때문에 두 형제는 나란히 함께 다녔으나 늘 이런 저런 이유로 여유를 부리던 형 덕분에 지각하기 일쑤였다. 등교 시간마다 애가 단 동생이 재촉해도 영래는 느긋하기만 했다.

"학교 좀 늦으면 뭐 어때서?"

지각 대장으로 유명했던 그런 일화에서 어딘가에 얽매이기 싫어하는 조영래의 자유로운 성품을 엿볼 수 있다.

고등학교에 다니며 조영래의 관심은 더욱 폭이 넓어지고 깊어졌다. 당시 경기고등학교에는 여러 동아리가 있었는데 조영래는 불교 동아리인 룸비니*회, 웅변과 논쟁을 주제로 한 변론반 등에서 활동했다. 조영래의 삶을 말할 때, 고등학교 시절을 '세상에 눈뜬 시절'이라고 부를 수 있을 것이다. 경기고등학교에 입학하던 때는 1962년, 5·16쿠데타로 박정희 정권이 들어선 이듬해였다. 또한 그 2년 전인 1960년에는 4·19혁명이 일어났다. 그야말로 사회가 요동치는 시대였다. 조영래는 사회문제에 깊은

---

*붓다가 태어난 곳으로 중인도 카필라바스투의 성 동쪽에 있던 꽃동산을 가리킨다.

관심을 가지게 되었고 그가 관심을 가진 모든 분야가 그렇듯이 그의 공부는 깊었고 생각은 더 깊었다. 이미 영어나 일본어로 된 사회과학서를 읽는 수준이었던 그는 2학년 때 학교 신문에 사회에 대하여 뛰어난 내용의 글을 싣기도 한다. 조영래는 어느새 많은 친구를 주위에 끌어들이는 구심점이 되고 있었다.

사회문제에 관심을 가지게 되자 조영래의 눈에 많은 것이 들어왔다. 4·19와 5·16은 불과 1년의 시차를 두고 일어난 너무도 상반된 두 개의 사건이었다.

4·19 혁명을 군홧발로 짓뭉개며 5월 16일 새벽, 단숨에 권력을 틀어쥔 박정희 소장과 그 일파는 뿌리 깊은 친일 세력이었다. 나폴레옹을 숭배하는 보통학교 교사였던 박정희는 야망을 위해 만주의 군관학교에 들어가고자 했다. 만주국은 일본의 관동군이 세운 괴뢰국이었고 군관학교 역시 일본군 장교를 육성하기 위한 학교였다. 박정희는 '진충보국盡忠報國 멸사봉공滅私奉公'이라는 혈서를 써서 군관학교에 보내 입학을 호소하였고 이 혈서는 신문에까지 보도되어 박정희의 입학이 허가되었다.

충성을 다해 일본에 보답하겠다는 내용의 혈서를 써서 일본군을 감동하게 한 박정희는 2년 만에 졸업하고 다시 일본 육사까지 졸업하였다. 이름도 그사이 다카키 마사오高木正雄에서 오카모토 미노루岡本實로 바꾸었다. 다카키 마사오에 남아 있는 조선 이름의 흔적을 완전히 지우기 위해서였다. 만주군에 소위로 부임한 박정희는 평소에 말이 없다가도 '조센징 토벌 나간다'는 명령이 떨어지면 "좋다! 토벌이다"라고 버럭 고함을 질러 일본 군조차 혀를 내두를 정도였다.

그토록 일본군 대장이 되고 싶었던 박정희의 야망은 뜻하지 않은 사태로 만주군 소위라는 초라한 직책에서 멈추고 말았다. 박정희에게는 청천벽력과도 같이 일본이 망하고 해방이 되었기 때문이었다. 졸지에 패잔병이 된 그는 몇몇 한국 출신 만주군과 함께 광복군에 붙어 볼 생각으로 중국 서안으로 갔다. 거기서 만난 사람이 당시 광복군 장교였던 장준하였다. 장준하는 이들을 앉혀 놓고 크게 꾸짖었다. 박정희는 일본군에서 탈출하려 했다고 둘러댔지만, 장준하는 첫눈에 일본이 패배하지 않았다면 계속 일본군으로 남아 학살을 자행했을 자들임을 알았다.

"당신들이 일본군 장교였다는 사실에 대하여 통렬하게 참회하지 않으면, 몸 뉘일 땅 한 평도 조국에는 없을 것이오."

그러나 해방 이후의 시간은 불의가 정의를 이기고 비상식이 상식을 조롱하며, 악이 선을 압도하는 전도된 시간이었다. 정직한 자는 나락으로 떨어지고 기회주의자들에게는 출세의 동아줄이 내려졌다. 박정희도 만군과 일본 육사라는 출세의 동아줄이 내려왔다. 이 두 개의 인맥은 당시 군대 내의 중요한 줄기였는데 이 두 가지 모두 직접적인 연줄로 가지고 있는 사람은 박정희와 이한림 등 몇몇에 불과했다. 그러므로 박정희의 출세는 땅 짚고 헤엄치기였다. 물론 남로당에 연루되어 사형 선고를 받기도 하고 그로 인해 한직을 전전하기도 했지만, 그러한 군부 내의 일본군 연줄이 아니었다면 그는 한직이 아니라 목숨을 부지하기도 어려웠을 것이었다. 뼛속까지 황군 의식에 차 있던 박정희는 국민은 매로 때려야 질서를 지킨다는 신념을 가진 파시스트였다. 훗날 박정희가 죽었을 때 한 일본인 외교관이 "대일본제국 마지막 군인이 죽었다."라고 했을 만큼 그는 철저한 황군이었다.

권력을 장악한 박정희는 미국의 지지를 이끌어내기 위하여 자신이 철저한 반공 친미주의자임을 증명하려 하였다. 용공 분자라는 이름으로 마구잡이식 구속 사태가 이어졌다. 과거 보도연맹에 관련된 인사라든가 혁신정당 관계자, 지식인, 사회단체 지도자, 노조 지도자들이 대대적으로 체포, 수감되었다. 평화통일을 입에 올린 것만으로도, 2대 악법 반대운동을 한 것만으로도 잡혀가 며칠 만에 4,000여 명의 민주인사가 투옥되었다. '반공을 국시의 제일의第一義로 삼는다'는 혁명 공약 1호를 확실하게 미국에게 보여 주겠다는 의도로 자행된 대규모 구속이었다.

민족일보의 조용수 사장을 빨갱이로 몰아 사형시켜 버리는 만행을 저지르기도 하였다.

자유로웠던 시대의 공기는 일순 얼음장처럼 굳어 버렸다. 거리를 달리며 자유와 인권과 생존을 외치던 그 많던 목소리는 밥물 잦듯 사라지고 두려움에 찬 눈빛만이 제각기 종종걸음을 칠뿐이었다. 잠시 푸르게 열렸던 조국의 하늘은 다시 먹장구름이 뒤덮고 있었다.

군사정권은 부정부패 척결과 민생고 해결을 대국민 공약으로 내걸었으며 혁명 과업의 완수 후에는 군대로 복귀한다는 원칙을 밝혔다. 그러나 민정 이양에 대비하여 뒤로는 비밀리에 공화당 창당을 준비하고 있었다. 박정희가 군복을 벗고 민간인 자격으로 대통령에 나서려는 것이었다. 이 작업은 김종필이 주도했는데, 창당에 필요한 막대한 자금을 비밀리에 끌어모으기 위해 정권 차원의 각종 비리가 일어나게 된다. 이것이 세간에 알려진 이른바 4대 의혹 사건이다. 모두 중앙정보부가 개입한 사건들로 증권파동*, 새나라 자동차 사건**, 워커힐 사건**, 파친코 사건**

---

*1962~1963년 주가가 급등했다가 폭락함으로써 파급된 일련의 사태. 증권거래소와 증권금융회사는 빚더미에 빠지고 투자가 중에는 자살하는 사람도 있었다. 결국 1963년 2월에는 증권시장이 완전 마비되어 장기 휴장에 들어갔다.
**중앙정보부가 자동차 공업을 육성한다는 명목으로 회사의 설립과 일본 닛산자동차 수입, 판매 과정에 개입한 뒤 공권력을 남용하여 횡령 등 부정행위를 한 사건.

등이다. 이 사건들은 전모가 완전히 밝혀지진 않았지만, 엄청난 규모의 자금이 조성되어 이후 선거자금으로 쓰인 것은 확실하였다.

4·19 이후 국민의 손으로 뽑은 민주당 정권을 붕괴시킨 5·16 쿠데타는 근본적으로 불법이었다. 그러한 불법성을 안고 지속해서 정권을 유지할 수 없다는 것을 군사정권도 잘 알고 있었다. 따라서 이들은 2년여에 걸친 군정 동안 중앙정보부와 공화당을 만들고 대통령중심제 개헌을 하는가 하면 박정희가 전역하여 대통령 선거에 나섰다. 박정희는 공화당 후보로 대통령에 당선될 자신이 없었다. 민심이 떠났다는 것이 눈에 띌 정도였기 때문이었다.

군정 동안 민중의 생활고는 극도로 악화되었다. 쌀값이 64%나 올랐고 전체 소비자 물가는 32%나 폭등하였다. 1인당 국민소득은 1961년의 87달러에서 이듬해에는 오히려 85달러로 떨어졌다. 쿠데타 세력이 연루된 의혹 사건이 지속해서 터져 나옴으

**＊주한 유엔군의 휴양지를 만들어 외화를 벌어들이겠다는 명목으로 서울 성동구 광장동에 워커힐호텔을 세우기로 계획을 세웠는데, 자금난 때문에 공사 진행이 더디게 되자, 교통부장관과 관광공사 사장 등이 호텔 건설과는 아무 관련 없는 정부 재산을 가불케 하면서 5억 원이 넘는 막대한 공작자금을 유용한 사건.
**＊1961년 12월 재일교포가 파친코라는 도박 게임기 100여 대를 재산 반입하는 것처럼 속여서 국내에 들여온 사건. 이후 파친코 도박이 성행해 여론이 들끓자 정부는 영업허가를 취소하고 재일교포를 관세법 위반으로 체포하는 것으로 사건을 매듭지었다.

로써 구악과 부정부패를 없애겠다던 애초의 명분도 퇴색해 버렸다. 참신한 인물로 새로운 정치를 하겠다던 공화당도 구 자유당의 인물들을 대거 영입하는 구태의연한 모습일 뿐이었다. 박정희는 민정 불참을 선언했다가 다시 군정 연장안을 발표하였고 이도 한 달 만에 번복하는 등 갈팡질팡하는 모습을 보이다가 결국 공화당 후보로 출마하였다. 1963년 10월 15일 실질적인 야당 단일후보였던 윤보선과 맞붙은 박정희는 불과 0.4% 남짓한 근소한 표 차이로 대통령에 당선되었다. 도시 지역에서는 윤보선의 완벽한 승리였지만, 인구의 다수를 차지하던 농촌에서 박정희에게 뒤진 결과였다. 총 선거 비용의 77%를 공화당에서 썼고 수많은 관변단체의 선거운동에 힘입은 바로는 극히 초라한 박정희의 득표율이었다.

어쨌든 제 3공화국이 열리고 그해, 2년이 넘도록 비밀리에 진행해 오던 한일회담의 진행 상황이 조금씩 알려지기 시작하였다. 이승만 정권하에서 지지부진하게 진행되던 한일 국교 정상화 회담은 5.16 쿠데타 이후 급물살을 타게 되었다. 일본은 국내 시장의 한계를 벗어나 한국에 진출할 길을 모색하고 있었고 쿠데타 세력도 자신의 정당성 획득을 위해 민생고 해결과 경제 개발계획을 위한 자본을 꼭 확보해야 했다. 이러한 두 개의 요구에 미국의 동북아시아 정책이 더해졌다. 중국의 영향력이 강화됨에 따라 일본을 맹주로 하는 반공산주의 지역통합 전략이 추진되었다. 회담의 가장 중요한 세 가지 의제는 일제 35년에 대한 배상 문제, 평화선 문제, 독도 문제였다. 수십 차례의 회담이 계속되었지만, 한국의 조급함을 눈치챈 일본의 느긋한 자세 때문에 칼자루는 일본이 쥐고 있던 셈이었다. 독도 문제에 부딪히자, 김종필은 "차라리 독도를 폭파했으면 좋겠다"고 짜증을 내기도 하였다.

군사정권에 가장 중요한 것은 돈이었다. 그것도 시급히 들어와야 했다. 이미 1962년은 경제개발계획의 첫해였고 화폐개혁 실시로 경제 상황이 매우 불안정하여 회담을 빨리 타결하는 데 사활을 걸 수밖에 없었다. 박정희는 다급한 나머지 "긴박한 제 정세를 고려하여 한일문제를 성공시키기 위해서는 양국의 정치가는 어느 정도 국민의 비난을 각오하고서라도 강력하게 이를 추진해야 한다"고 김종필을 독려하였다. 그리하여 졸속으로 합의된 내용이 무상공여 3억 달러, 유상공여 2억 달러, 상업 베이스에 의한 무역차관 1억 달러였다. 실제로 일본 측에서 최대 50억 달러라는 마지노선을 가지고 있었다는 증언이 있는 것으로 볼 때 협상이 얼마나 졸속으로, 얼마나 터무니없이 적은 액수로 타결되었는지 알 수 있다.

한일회담
반대 투쟁

경기고등학교는 전국의 수재가 모인 학교답게 학생들은 정치에도 관심이 많았다. 조영래가 고등학교 2학년 때 있었던 대통령 선거 즈음에는 학생들 사이에 격렬한 토론이 오가기도 했다. 쿠데타를 일으킨 박정희가 약속을 저버리고 대통령 선거에 나오자, 학생들의 성토가 이어졌다.

"박정희는 군복에서 양복으로 옷만 갈아입었을 뿐, 쿠데타를 일으킨 장본인이다. 백번 양보해서 그의 말대로 권력욕이 아닌 구국의 결단으로 쿠데타를 일으켰다면 이제 군으로 되돌아가는 것이 맞다. 민정 이양이라는 약속을 지켜야 한다. 박정희가 대통령이 된다면 그 정부는 군부정권일 수밖에 없다."

똑똑하고 학생들 사이에 리더로 인정받던 조영래나 손학규는 아직 선거권도 없는 어린 나이에도 논리가 정연하고 비판의식이 날카로웠다. 그리고 마침내 조영래라는 이름이 역사의 수면

위로 올라오게 된다.

훗날 밝혀진 사실이지만 한일회담은 미국의 강력한 요청으로 시작된 것이었다. 미국은 동북아시아에서 자신의 영향력을 공고하게 하려면 일본과 한국의 협력이 필요했고 한국 정부에 원조를 중단할 수 있다고 압력을 가해 회담을 성사시켰다. 물론 기본적으로 일본에 호감을 느끼던 박정희 정권 역시 관계 개선과 더불어 경제 개발을 위한 대일 청구권 자금이 필요했다.

하지만 학생들은 격렬하게 반대했다. 일제 식민지를 벗어난 지 20년이 채 되지 않은 시점에 그들과 국가 간 관계를 맺기 위한 회담을 시작한다는 것은 민족적인 굴욕이었다. 더구나 민중은 극심한 생활고와 관료, 정치집단의 부정부패에 대해 분노가 극에 달해 있었다. 혁명 정부를 내세운 박정희 정권은 불과 몇 년 만에 부정과 부패를 일삼아 '신악이 구악을 뺨친다'는 말이 나돌고 있었다.

경기고등학교가 나선 것은 학생 시위 사흘째인 3월 26일 아침이었다. 이틀 전인 24일에 한일 회담에 대한 반대 투쟁이 본격화한다. 이날 서울대 문리대, 고려대, 연세대 학생들이 들고일어난 것이다. 세 학교 학생들은 서로 시위 시간을 차례로 맞추는 등 상당히 조직적으로 시위했다. 이전에 볼 수 없는 일이었다. 학생들의 요구는 민족 반역자 규탄 및 한일 회담 즉각 중지,

평화선 문제, 경제 문제 등이었고 세 대학의 요구 사항에 공통으로 들어 있었다.

바로 이날 조영래와 신동수는 선배인 정세현의 이문동 집에 모여 시위를 준비했다. 26일로 날을 잡은 것은 그날이 학교 조회 날이기 때문이었다. 모든 학생이 운동장에 모였을 때 그들을 선동하여 교문 밖으로 뛰어나가자는 계획이었다. 그러자면 학생들을 설득할 격문과 플래카드가 필요했다. 정세현은 선배였지만 조영래가 가진 인문학적 소양이나 글쓰기 능력을 잘 알고 있었기에 그에게 격문을 맡겼다. 논리적이고 차분한 조영래의 글에 격정적인 정세현의 가필이 합쳐져 선언문이 만들어졌다. 웅변 경험이 많은 정세현이 제안한 대로 선언문은 짧고 간결했으나 거기에도 조영래의 놀라운 식견이 녹아 있었다. 이미 대학교재로 쓰이는 경제원론 같은 책을 통독한 조영래는 아직 잘 쓰이지 않던 '매판자본'이라는 용어를 선언문에 넣었다. 당시 일본 자본을 끌어들이는 국내의 토착 자본을 질타하는 내용이었다.

또한 4·19 때부터 시위에 등장하여 큰 효과를 본 플래카드의 문구를 준비하면서 바로 그 유명한 '이것이 민족적 민주주의이드냐?'라는 문구가 탄생한다. 조영래의 아이디어라는 게 정설인데 이 문구는 단순한 게 아니었다. 당시 쿠데타로 정권을 잡은 군부 세력은 '민족적 민주주의'라는 말을 만들어 선전 문구처럼 쓰고 있었다. 4·19를 통해 민족적 자신감을 회복한 한국 사회는 식민사관을 극복하고 민족사를 주체적으로 해석하려는 한국학이 들불처럼 일어나고 있었다. 군부 세력은 그런 사회 분위기를 이용하여 개발독재의 명분으로 마치 민족 고유의 민주주의가 있는 것처럼 선전한 것이다. '민족적 민주주의'라는 말을 만들어 쿠데타 세력에게 바친 인물은 소설가 김동리의 형이자 유명 지식인이었던 김범부였다. 조영래의 '이것이 민족적 민주주의이드냐?'라는 구호는 박정희가 반공이라는 말보다 더 좋아했다는 '민족적 민주주의'라는 말을 그대로 돌려주는 간결하고도 통렬한 구호였고 상대를 가장 아프게 공격하는 일침이었다.

3월 26일 아침, 조회를 마친 학생들에게 선언문을 낭독하고 당장 교문 밖으로 뛰쳐나가자는 다수의 학생과 몇몇 반대 의견을 가진 학생 사이에 논쟁이 오갔다.

"언제까지 이웃 나라인 일본과 국교를 단절하고 지낼 것인가? 지난날의 원한에 매달려 앞으로 나가지 못하는 것은 옳지 않다. 냉철하게 생각하고 판단해야 한다."

이런 의견을 낸 학생은 뜻밖에도 훗날 우리나라 민주주의 운동의 대부라 불리게 될 김근태였다.

"일본은 아직도 식민지배에 대해 사과를 하지 않고 있다. 정상적인 국교는 과거를 반성하고 대등한 관계에서 맺어져야 한다. 일본과 수교하면 그들은 다시 우리나라를 경제적으로 침략하려 할 것이다. 한일회담은 그 길을 합법적으로 터 주려는 매국적인 협상이다. 협상에 임하는 우리 정부의 저자세를 보더라도 우리는 이 회담을 굴욕적이라고 할 수밖에 없다."

주동자 격인 조영래와 손학규 등도 물러서지 않았다.

"우리 정부가 좀 더 당당하게 임해야 한다는 말에는 나도 동의한다. 하지만 그 정도를 가지고 해방된 지 20년이 지난 지금, 이웃 나라끼리 수교하여 공동이익을 추구하자는 걸 반대할 순 없다. 그것을 반대하는 것은 오히려 우리의 열등감, 패배감 때문일 수 있다고 본다. 왜 우리를 일본과 대등하지 않다고 스스로 인정하는가?"

논쟁은 격렬하게 이어졌지만 김근태의 주장은 학생들에게 받아들여지지 않았다. 물론 얼마 안 가 김근태는 자신의 판단이 잘못되었음을 통렬하게 깨닫게 된다.

학생들이 교문을 나서는 순간 누군가 플래카드 몇 개를 던져 주었다. 아침 일찍 광장시장에 가서 옥양목을 사다가 구호를 쓴 정세현이었다. 구호 내용은 다양했다. '국내 매국 상인을 규탄한다', '잔악한 일본의 경제침략을 분쇄', '영토의 한 치도 줄 수 없다', '제2의 한일합방 결사반대' 등이었고 그중 압권은 '이것이 민족적 민주주의이드냐?'였다. 1500여 명이 넘는 경기고등학생은 화신 앞을 통과하여 의사당 앞에 집결한 다음 정부에 보내는 결의문을 다시 낭독하고, 을지로 입구 쪽으로 경찰의 에스코트를 받으면서 행진했다. 이들은 당시 일본 자본을 들여와 지었다던 뉴코리아 호텔 앞에서 애국가를 부르고 세종로를 거쳐 약 두 시간 만에 학교로 돌아갔다.

경기고등학교 학생들의 시위는 큰 여파를 불러왔다. 그날 경향신문 석간 1면에는 '이것이 민족적 민주주의이드냐?'라는 플래카드를 앞세운 경기고등학교 시위대 사진이 그야말로 대문짝만하게 실렸다. 검은 교복을 입은 1500여 명의 학생이 열을 맞추어 행진하는 가운데 맨 앞에서 조영래가 시위대를 이끄는 사진이었다. 경기고 학생들의 시위가 얼마나 대단한 사건이었는지는 신문이 배치한 사진만 보아도 알 수 있다. 같은 날 야당 국회의원들이 이끈 반대 시위 사진보다 더 위에 먼저 눈에 띄도록 배치한 것이다. 사진에 실린 구호는 두 달 뒤 서울대학교에서 열린 '민족적 민주주의 장례식'의 모티프가 되었다. 이 사건으로 조영래는 순식간에 고등학생을 대표하는 운동권 학생으로 떠올랐다.

3·26일 시위를 주동한 조영래는 그로 인해 학교에서 정학 처분을 받았다. 어쩌면 퇴학을 당할지도 모른다는 각오를 했기 때문에 별 불만은 없었다. 그런데 3학년 때 조영래는 두 번째 정

학을 당한다.

두 번째 정학은 학교 당국의 처사에 대한 개인적 항거로 인한 것이었다. 당시 경기 중·고등학교는 매 분기 교문 앞 게시판에 수업료를 내지 못한 학생의 이름을 공개하는 제도가 있었다. 너무나 비인간적이라 지금은 상상할 수 없는 일이지만 당시는 그랬다. 시간이 지나갈수록 미납자는 점점 줄어들어 막바지에는 대개 한 학년에 열 명 남짓한 수가 남게 마련이었다. 한번은 조영래와 동생 조성래(당시 경기중학교 3학년)의 이름이 동시에 최후까지 남게 되었다. 미납자 명단에서 자신의 이름을 발견하는 일에는 이골이 난 조영래였지만, 동생의 이름을 확인하는 순간 한없는 울분이 솟구쳤다.

'가난하다고 해서 이름까지 광고할 필요가 있는가. 나는 그래도 괜찮지만 동생 이름까지 나오는 건 참고 볼 수 없다.'

그는 그 자리에서 명단을 북북 찢어 버리고 이틀 정학을 받았다. 부당한 현실에 굴복하지 않는 조영래의 특성이 잘 드러나는 대목이었다.

그해 겨울, 조영래는 고민 끝에 서울대 법대에 진학하기로 마음먹었다. 학교 생활기록부에는 일관되게 장래 희망이 정치가라고 적혀 있는데, 정치학과를 반대하고 상대에 가라는 아버지와

적당히 타협한 결과였다. 전교에서 5, 6등을 하는 최상위권 성적이었으므로 어느 학과든지 떨어질 것을 걱정할 필요는 없었다. 그리고 시험을 앞두고 몇 달 동안 예의 무서운 집중력이 발휘되었다.

이듬해 2월 15일, 모든 신문에 조영래 얼굴 사진이 다시 한번 실렸다. 500점 만점에 421점, 유례없이 높은 점수로 서울대에 수석 합격을 했다.

"뭐, 대단한 일입니까? 그저 운이 좋은 덕이지요."

경향신문과의 인터뷰에서 조영래는 이렇게 말한다. 어렸을 때부터 일등이라는 것에 전혀 마음을 두지 않던 조영래에게 서울대 수석이라는 것이 특별했을 리 없었다. 물론 여전히 가난한 가족들에게는 더없이 기쁜 소식이었지만. 아니나 다를까, 당시 조영래의 가족이 살던 집이 바로 전해에 지어진 갈현동 국민주택이라는 사실에 감동한 주택공사에서 장학금을 전달하기도 했다.

그해에 새로 바뀐 서울대 교복은 신사복 스타일에 유치원생 명찰처럼 커다란 마크를 왼쪽 가슴에 붙인 옷이었는데, 교복을 걸친 조영래의 모습은 유독 촌스러웠다. 평생 맵시 있게 옷 입는 따위를 신경 쓰지 않은 그의 모습은 아주 오래된 것이었다. 물론 그 어수룩한 차림새가 모든 사람이 그리워하는 모습이기

도 했다. 어쨌든 얼핏 고집 세어 보이는 이 '촌놈'은 곧바로 우리
나라 학생운동을 강타한다.

학생운동의
선봉장

1965년 봄, 대학가에는 연일 한일회담 반대 시위가 벌어지고 있었다. 서울대 법대에서는 4월 10일에 매국 외교 반대 시위가 열렸다. 이른 아침부터 도서관 앞 '자유의 종' 광장 주변에 모이기 시작한 학생들은 9시가 넘어가자 500여 명으로 불어났다. 그중에 대학생이 된 후 처음으로 집회에 참여한 조영래도 있었다. 법대생으로서는 최대 숫자가 모인 집회였다.

선언문과 결의문이 연이어 낭독되자 분위기는 끓어올랐다. 결의 내용은 '국민의 권익을 무시하고 일본과 합의한 가조인을 정부는 즉시 무효화하라', '평화적인 시위로 국민 여론을 천명하려던 동료 학우들을 석방하라', '미국은 더 이상 한일회담에 간섭지 말라' 등 7개 항목이었다. 시위대는 곧장 교문을 나가 경찰 방어벽을 뚫고 종로 4가까지 진출했고 다시 경찰과 육탄전을 벌여 탑골공원까지 진출한 게 10시 30분이었다. 교문을 나선 지 불과 30여 분 만에 공원에서 경찰과 대치한 학생들은 연좌 농성에 들어갔다. 농성에 참여한 170여 명 전원이 경찰에 연행되었고 그중에는 대학 새내기 조영래도 끼어 있었다. 처음으로 경험한 연행이었다.

그날 이후, 조영래는 1학년으로서는 유일하게 명민한 두뇌와 판단력, 분명한 사회의식을 인정받아 시위를 주도하는 선배들의 모임에 끼게 되었다. 물론 경기고등학교 시위를 주도한 그는 이미 '고등학생 데모꾼'으로 소문이 자자했고 거기에 수석 합격자라는 후광까지 더해져 선배들의 주목을 받던 터였다.

한일회담 반대 투쟁은 6월 13일, '최후의 항전'이라 부르던 법대생들의 200시간 단식농성으로 이어졌고 농성에 참여한 조영래는 학생들 사이에 조용히 리더로 떠올랐다. 200시간은 한일협정 조인이 예정되어 있던 6월 22일까지 남은 시간이었다. 그리고 무려 15개월에 걸친 각계각층의 치열한 반대 투쟁에도 불구하고 도쿄에서 양국 외무장관이 서명함으로써 한일협정이 조인되었다. 단식농성을 하던 학생들이 흩어지고 분노에 떨며 끝까지 남아 있던 학생 중 64명이 '민족주체성 확립'이라는 혈서를 쓰며 눈물을 흘렸다.

2학기 개학과 더불어 폭발한 회담 비준 반대 투쟁을 주도한 선배들이 줄줄이 제적당하자, 이미 출중한 지도력을 검증받은 바 있는 조영래는 자연스럽게 법대를 이끌 새로운 지도자가 되었다.

이 무렵부터 조영래는 본격적으로 사회과학 공부를 시작하였다. 그는 소위 금서로 분류된 사상서를 폭넓게 읽었다. 주로 일본에서 나온 유물론이나 정치경제학 이론서, 마르크스의 원전들, 소련아카데미의 경제학 교정, 일본 이와나미판 사회주의 강좌, 폴 스위치의 경제학 서적 등을 구해 읽고, 손으로 베껴 써서 여럿이 돌려 보았다. 조영래가 가진 지적인 능력과 집중력이 대학에 들어와 폭넓은 인문학의 바다를 헤엄치기 시작한 것이다. 중·고등학교와 대학교까지 함께 다니며 가까이에서 그를 본 손학규는 이렇게 회고했다.

"조영래의 지적인 능력, 이거는 정말 대단합니다. 지적인 능력과 필력이 다 같이 가는 건데, 대학교 때 조셉 슘페터의 《자본주의 사회주의 민주주의》라는 책이 있었습니다. 당시에 상당히 새롭고 세계적으로 반향을 일으킨, 굉장히 두꺼운 책이었는데 조영래가 대학교 2학년 때인가 그거를 들고 다니더니 일주일도 안 돼서 다 읽었다는 걸 보고 대단하다 생각했죠."

그는 어떤 선입견이나 독선적인 입장에 선 공부를 좋아하지 않았다. 중고등학교 시절 이미 탄탄하게 닦아 놓은 인문학적 교

양의 토대 위에서 진행된 사회과학 공부는 조영래의 이념과 현실에 대한 이해의 폭을 무한히 확장했다. 그의 투쟁과 자유를 향한 희구는 더욱 열렬해졌다.

조영래가 2학년이 된 1966년 5월, 박정희 군사정권의 민얼굴을 숨김없이 보여 주는 일이 터진다. 흔히 '한국비료 사카린 밀수 사건'이라고 불리는 사건인데 대략의 개요는 이랬다.

삼성그룹 계열사인 한국비료공업주식회사는 일본 미쯔이 물산에서 상업차관을 도입해 울산에 요소 비료 공장을 건설하기로 계획했다. 이는 박정희 정권과 합의된 사항으로 1967년 대선을 앞두고 당시 농촌 인구가 많은 상황에서 비료 공장 건설은 업적이 될 수 있었기 때문이었다. 1965년 말에 시작된 한국비료 건설과정에서 일본은 차관 4200만 달러를 기계류로 공급하면서 삼성에 리베이트로 100만 달러를 주었다. 삼성 회장 이병철은 이 사실을 박정희에게 알렸고 박정희는 의미심장하게도 그 돈을 '여러 가지를 만족시키는 방향'으로 쓰자고 한다. 현찰 100만 달러를 일본에서 가져오는 것보다 그 액수만큼 돈이 될 물건을 몰래 들여와 돈을 부풀리는 것으로 결론이 났다. 당시 가장 열악하고 비싼 생필품이 바로 설탕을 대신하는 사카린이었고 그들은 사카린 원료를 밀수입하기로 한다. 사카린뿐만 아니라 들여오기만 하면 몇 배의 이익을 남길 수 있던, 부유층들이 암시장을 통해 사들이던 양변기, 냉장고, 에어컨, 전화기 등도 포함되었다. 그것들도 네다섯 배로 돈을 부풀릴 수 있었지만 사카린 원료야말로 몇십 배의 이익을 남길 수 있는 노다지였다.

그런데 사카린 원료를 건설 자재로 속여 들여오던 중 부산 세관이 이를 적발하고 언론에 보도가 된다. 처음에는 공장 직원의 개인적 일탈로 변명하던 삼성과 정부는 국민의 급등하는 비난 여론에 못 이겨 결국 검찰 수사를 거쳐 삼성의 밀수를 인정하게 된다. 박정희 정권은 모든 책임을 삼성에 떠넘겼지만, 국민은 이미 추악한 정경유착임을 알고 있었다. 부패를 없애겠다는 혁명 공약을 입에 달고 살던 박정희 정권은 이로 인해 도덕성에 치명상을 입는다.

이 사건은 국회에서도 크게 문제가 되어 김두한 의원이 국무총리와 장관들에게 똥을 뿌리는 엽기적인 일이 벌어지기도 한다. 장준하는 대구에서 열린 규탄대회에서 박정희를 '밀수 왕초'라고 부르며 격렬하게 비판하여 구속되는 사태까지 일어났다. 이렇게 비난 여론이 들끓자 10월 9일, 서울대 법대생 500여명은 분수대 광장에 모여 성토대회를 열었다. 이 자리에서 조영래는 불같은 사자후를 토했다. 남다른 관심으로 경제를 공부한 조영래에게 국가가 기업과 결탁하여 밀수했다는 것은 국민의 생존권을 위협하는 중대한 범죄행위였다. 분노가 폭발한 그 날의 연설은 학생들에게 깊은 인상을 남겼고 확고하게 학생운동의 지도부로 자리 잡는 계기가 되었다.

조영래가 주도한 사카린 밀수 사건 집회는 사회적으로도 큰 여파를 낳았다. 학교 측에서 집회 주동자로 조영래에게 1개월 정학 처분을 내리자 언론에서 비난이 쏟아졌다. 법대 학생회장이던 정형근이 이에 항의하다 다시 정학 처분을 받았고 학생들은 무한 투쟁을 선언하였다. 정학은 철회되지 않았지만 서울대 총장이 사표를 내는 것으로 사태는 마무리되었다. 조영래의 한 달 정학이 국립서울대 총장을 물러나게 한 사건으로 커진 것이었다.

이 집회가 조영래의 생애에서 또 다른 의미가 있는 것은 집회를 조직하는 과정에서 서울대 늦깎이 신입생이던 장기표를 만났기 때문이다. 이후 두 사람은 함께 학생운동과 민주화 운동의 여정을 걷게 되는데 무엇보다 전태일을 우리 사회에서 하나의 이정표로 세우는 데 한 몸처럼 헌신하였다. 장기표는 당시를 이렇게 회상했다.

"서울법대에서 대표적 이념 단체였던 사회법학회에 가입해 조영래를 만났습니다. 우리는 만나자마자 세상을 바꾸는 일에 의기투합해, 내가 묵고 있던 독서실이나 갈현동 그의 집에서 함께

자기도 하며 많은 이야기를 나눴지요. …… 당시 학생운동은 조영래 씨가 주도하다시피 했습니다. 교련 반대 운동, 언론 개혁 운동 등 학생운동이 나아갈 방향을 제시했다고 해도 과언이 아닙니다. 당시 여러 가지 중요 선언문의 대부분을 조영래가 썼다고 보면 됩니다. 전태일 사건 같은 경우도 조영래 씨가 결정적인 역할을 한 거요.《전태일 평전》도 그렇지만. 조영래가 등장하면서 학생운동의 중심이 서울 문리대에서 서울 법대로 옮겨졌습니다."

1967년 5월 3일, 6대 대통령 선거에서 다시 박정희와 윤보선이 맞붙었다. 이때부터 우리나라 정치에서 고질병이라 불리는 지역주의가 나타나기 시작한다. 박정희는 쿠데타 이후 지속해서 자신이 출생한 영남지역 인사들로 지배 권력을 채웠다. 경제 개발 또한 영남 위주로 진행되었다. 상대적으로 호남은 농업 위주의 전통적인 산업이 몰락해 가면서 두 지역의 경제적 격차가 벌어지기 시작한다. 1960년대 초에는 비슷했던 두 지역의 인구는 박정희 집권 기간에 거의 두 배로 벌어진다. 살기 어려운 호남 주민들이 대거 이농하는 현상이 벌어진 탓이었다.

6대 대통령 선거에서 이미 그러한 지역 분열주의가 투표로 나타나기 시작했다. 박정희는 영남을 제외한 모든 지역에서 윤보선에게 졌다. 박정희는 116만 표 차이로 윤보선을 눌렀는데 영남에서만 137만 표를 앞섰다. 길고도 끔찍한 지역주의라는 망령이 이때부터 우리나라를 떠돌기 시작한 것이다.

윤보선을 물리치고 무난하게 당선된 박정희로선 정치적으로 매우 중요한 해였다. 당시에는 대통령은 두 번까지만 계속할 수 있도록 헌법에 명시되어 있었다. 두 번째 당선된 박정희로서는 마지막 임기인 셈이다. 그러나 박정희는 그럴 마음이 조금도 없었다. 그러자면 헌법을 고쳐야 하고 헌법을 고치자면 같은 해 6월 8일에 치러질 국회의원 선거에서 압도적으로 이겨야 했다. 헌법을 고치려면 재적 국회의원 수 3분의 2 이상이 개헌에 찬성해야 하는데, 그 정도의 국회의원 수를 무조건 확보해야 했기 때문이었다. 당시 국회의원 정수는 175명이었고 개헌에 필요한 숫자는 117명이었다. 박정희 정권은 6·8총선에 사활을 걸었고, 이 과정에서 3·15 부정선거*의 차원을 뛰어넘는 부정선거의 신기원을 보여 주었다.

야당 참관인과 운동원들이 정체불명의 남자들에게 두들겨 맞거나 납치되는가 하면 곳곳에서 사전투표와 공개투표가 진행

---

*1960년 3월 15일 실시된 정·부통령선거에서 이승만이 부정과 폭력을 동원해 재집권하려고 하다가 4·19혁명의 도화선이 되고, 결국 이승만 정권의 붕괴를 가져온 사건.

되었다. 예를 찾기 어려울 정도로 선거판에 막대한 돈이 뿌려지고, 술과 음식을 대접하여 표를 구하는 행위도 비일비재했다. 여당 후보에 대한 행정관서의 노골적인 지원, 흑색선전, 터무니없는 공약 남발이 이어졌고 투표 당일까지 야당 인사들에 대한 폭행과 납치가 끊이지 않았다.

3·15 부정선거와는 차원이 다른 엄청난 부정선거를 저지른 결과, 당시 여당이던 공화당은 130석을 확보해 개헌선인 117석을 무난히 넘겼다. 그래서 사람들은 이 선거를 두고 '6·8 망국선거'라 부르기도 했다. 선거가 끝나자 전국 131개 선거구에서 총 266건의 선거 소송이 제기되었고, 선거 다음 날부터 당장 분노에 찬 야당 인사들과 학생들이 부정선거에 항의하는 시위에 나서기 시작했다.

6월 12일 서울대 법대생 500명은 긴급 학생총회를 열고 '6·8 선거는 전반적, 조직적, 계획적, 지능적 부정선거'라 규정한 뒤 선언문에서 '공무원을 사병화하고 국민을 매수, 사기, 협박, 기만함으로써 이루어진 6·8선거는 금력, 사기, 폭력, 부정, 관권선거로서 빛나는 4·19정신의 모독'이라 지적했다.

학생들은 총회 후 시위에 나섰는데, 경찰과 충돌해 무려 165명이 연행됐다. 조영래가 주도한 투쟁이었다. 그러자 법대에서는 바로 13일부터 임시 휴업에 들어간다고 발표했다. 부정선거 규탄 시위는 뜻밖의 사건이 터지면서 수면 아래로 가라앉는데 그것이 그 유명한 동백림 사건이었다. 물론 분노한 국민의 관심을 다른 곳으로 돌리려는 전형적인 물타기 수법이었지만 그 규모와 무지막지함으로 세계적인 물의를 일으킨 사건이었다.

김형욱이 이끌던 중앙정보부는 7월 8일, 대한민국에서 독일과 프랑스로 건너간, 194명에 이르는 유학생과 교민 등이 동베를린의 북한 대사관과 평양을 드나들고 간첩 교육을 받으며 대남적화 활동을 했다고 발표하였다. 중앙정보부가 간첩으로 지목한 인물 중에는 유럽에서 활동하던 세계적인 작곡가 윤이상과 화가 이응로가 포함되어 있었다. 더욱더 놀라운 것은 외국에 있던 그들을 이미 데리고 와 구속 수감했다는 것이었다. 일종의 납치였다. 독일과 프랑스는 자국의 주권을 침해한 행위라고 강력히 항의했으며 박정희 정권은 국제적인 비난 여론에 부딪혔다. 결국 북한 간첩이라는 어마어마한 혐의와 어울리지 않게 대부분이 흐지부지 풀려났고 사형선고를 받았던 두 명도 2년 반만에 유럽으로 되돌아갔다. 결국 6·8 부정 선거를 덮기 위한 대규모 조작 사건이었다.

끔찍한 일들이 연이어 터졌다. 박정희는 3선 개헌을 위해 반대하는 사람들에게 겁을 주기 위해 공포 분위기를 조성했다. 연달아 간첩 사건이 터졌다. 1968년에는 정부 수립 후 최대의 간첩 사건이라는 통혁당통일혁명당 사건을 발표했고 주동자로 몰린 사람들은 모두 사형에 처했다. 유럽 간첩단 사건[*], 남조선민족해방전략당 사건[**] 등 이름만 들어도 무시무시한 사건이 연달아 발표되고 사형이 집행되었다. 계속해서 대통령을 하려는 박정희는 손에 죄 없는 이의 피를 묻히는 일을 서슴지 않았다. 조작된 사건으로 억울하게 죽어 가는 사람들을 보며 국민은 공포에 사로잡혔다. 그 공포를 이용하고 국가안보라는 핑계로 장기 집권을 위한 3선 개헌이 추진되었다. 박정희는 자신의 손으로 4년 중임제를 만든 지 6년 만에 다시 헌법을 뒤집어엎으려는 것이었다.

1969년 6월 12일 서울대 법대생 500여 명이 헌정 수호 서울 법대 학생총회를 개최하여 '여하한 개헌 추진 음모도 분쇄하겠다'며 3선 개헌 반대 운동의 봇물을 텄다. 이후 전국 각 대학에서 성토와 시국선언대회가 연일 계속되었고 7월 1일 8000여 명, 7월 2일에는 6000여 명의 학생이 거리로 진출하여 경찰과 유혈 충돌하면서 학생들의 데모는 정점에 달하였다. 조영래가 작성한 것으로 알려진 당시의 선언문 제목은 '우리의 투쟁은 멈출 수

---

[*] 1969년에 발생한 대표적인 공안 조작 사건.
[**] 1968년 진보 경제학자인 권재혁 등 12명에게 "국가 전복·공산주의 혁명을 목적으로 하는 반국가단체 남조선해방전략당을 구성하고 내란을 예비음모했다"고 하는 공안 조작 사건.

없다'이고 발표 주체는 '전국대학생 반독재 투쟁 민주동맹 서울대 투쟁위원회'였다. 조영래가 남긴 글 중 가장 오래된 것이라 할 수 있는 이 선언문을 보면 대학생 조영래가 민주주의에 대해 얼마나 투철한 마음을 가지고 있는가가 잘 드러난다.

비상대권을 부여하고 임기조항을 완전히 철폐함으로써 또다시 이 땅에 일인 독재체제를 완벽하게 소생시키려던 망국 개헌 음모는 당내 민주 세력의 완강한 저항과 국내외의 압도적인 반대 여론에 봉착하여 일시적인 형식적 후퇴를 하지 않을 수 없었으며 그리하여 현재와 같은 3선 연임 개정안을 불법 발의하였다.

그러나 이것은 일인집권을 일 회만 더 연장하겠다는 것이 아니라 교활하게도 당장 그들의 음모를 표면상 합법적으로 일보라도 관철할 수 있는 유일한 방법이 그것밖에 없다는 것을 인식했기 때문이며, 따라서 그것은 국민 대중의 반대와 불만을 회유 미봉하려는 기만적인 책동에 불과한 것이다.

-중략-

역사의 법칙은 준엄하다. 민주주의는 주어지는 것이 아니라 피를 흘리며 전취하여야 한다는 것, 민주주의는 지식의 산물이 아니라 투쟁의 결실이라는 것, 그리하여 민주주의가 불과 수백 명의 피로 그렇게 간단히 달성될 수 있는 것이 아니라는 것, 민주주의는 단 한 번의 대중 봉기로 획득될 수 있는 그렇게 수월한 것이 아니라는 것, 그것을 이제야 우리는 피부로 통감하게 되었다, 이제야 우리는 역사의 의미를 진정으로 터득해 가고 있는 것이다.

학우여! 왜 우리는 오늘날 이와 같은 불행한 현실을 맞이하게 되었는가. 왜 우리는 창부의 역사를 우리의 민족사로 갖지 않으면 안 되었던가? 비겁한 이기주의 바로 그것이 아니었던가? 바야흐로 우리의 선배가 피 흘려 투쟁한 4월 혁명은 유산되어 가고 있다.

우리는 빛나는 그들의 전통마저 계승하기를 두려워하는 못난 후배가 될 것인가? 우리의 부모는 우리가 이 투쟁에서 물러설 것을 호소하고 있다. 오직 자기만 손해 볼 뿐이라고! 그렇다! 이 투쟁이야말로 오로지 형극의 길이다. 단지 자기 희생 이외에 어떠한 보상도 없다. 4·19의 희생자를 보라. 이제 누가 그들을 거들떠보기라도 하고 있는가?

그러나 학우여! 우리만이 알고 있다. 이 투쟁이, 이 희생이 어떠한 가치를 주는가를! 독재의 음모에 광분하고 있는 자들은 우리의 투쟁을 갖은 방법으로 제어하며 분쇄하고 있다. 그리하여 그들의 정치정보 경찰은 우리들의 탄압에

총출동하고 있으며 이미 수많은 우리 동료 학우는 불법적인 처벌을 받았고 일부는 학원으로부터 완전히 추방당했으며 학원은 폐쇄의 위기에 처해 있다.

그러나 무자비한 공산 독재, 나치스 치하에서도 생명을 바쳐 항거한 서구의 지식인을 보라! 오늘날 체코에서 항쟁하고 있는 그들을 보라! 이 조국에서 민주주의의 뿌리를 심기 위한 우리의 투쟁에 일보의 후퇴도 있을 수 없다.

학우여! 비장한 각오로 대열을 정비하자!
민권의 유일한 보루, 학원을 사수하자!
독재의 음모를 분쇄하자![6]

여름방학이 끝나면서 학생들의 데모도 다시 시작되었으나 정부는 휴강 조치로 맞서 개헌안 국회 표결 전날인 9월 13일까지 전국에서 33개 대학이 휴강에 들어갔다. 대학은 문을 닫은 채 9월 14일 새벽 국회 제3별관에서 개헌안이 날치기 통과되고, 10월 17일 국민투표에서 확정되는 것을 그저 지켜볼 수밖에 없었다. 4학년 조영래가 앞장섰던 3선 개헌 반대 투쟁은 그렇게 좌절되었다.

그러나 그해의 조영래를 기억해야 할 또 하나 중요한 일이 있다. 조영래가 행한 일 중에는 전혀 중요하지 않은 듯한 어떤 일이 훗날 중대한 역사적 전환을 이루는 경우가 많다. 너무도 많아서, 조영래의 행보와 민주화 운동의 여정 사이를 자세하게 분석할 필요가 있다는 생각이 들 정도다. 그것은 자신의 개인적 삶을 시대와 일치시키고 그 시대를 앞으로 나아가게 하고자 하는 —그런 사람을 보통 '혁명가'라 부른다— 열정이었다.

조영래가 민주화 운동에 이바지한 바는 많고 많지만 누구도 눈치채지 못한 큰일이 하나 있다. 바로 고등학교 때 함께 한일회담 반대 투쟁 선봉에 섰던 신동수를 설득하여 졸업 후 4년 만에 대학교에 들어오도록 설득한 일이다. 그가 조영래보다 4년 늦은 69학번으로 대학에 들어와서 어떤 역할을 했는지는 학생운동사에서 전설에 속한다. 아마 졸업을 앞두고 진로를 고민하던 조영래가 대학원을 선택하고 사법고시를 준비하게 된 데에는 신동수의 존재가 영향을 미쳤을 것이다. 왜냐하면 신동수는 대학 시절, 그리고 그 이후에도, 심지어 조영래가 죽은 이후에도 조영래의 길을 함께 걸었다. 조영래가 아니라도 그가 산 삶은 현대사의 갈피 속에 영원히 기억될 것이다. 물론 신동수는 언제나 자신이 조영래 곁을 따라다닌 사람이라고 겸손해하지만, 그런 겸손은 절대 진실이 아니다.

조영래를 읽을 때 그의 친구이자 동지인 신동수를 함께 읽지

못하면 우리는 민주화 운동의 험난한 현대사에서 겉이 아닌 속
살을 놓치기에 십상이다.

그의 빛나는, 혹은 전혀 빛나지 않는 대학 생활은 1969년에
시작한다. 고등학교 동기인 조영래가 대학을 졸업할 무렵 비로
소 학교에 들어온 것이다.

그는 '당수형'이라는 별명으로 불렸다. 이미 대학에 들어올
때 가난한 집안 형편으로 군을 면제받은 그를 후배들은 그를
'당수형'이라고 불렀다. 이름인 동수와 비슷해서 당수라는 별명
으로 불렀다는 설도 있지만 진짜 뜻은, 그를 보면 저절로 존경
심이 우러나 그의 당원黨員이 된다는 뜻이었다. 하지만 그는 스
스로 당수라고 생각하지도 않고, 그렇게 행세하지도 않았다.
'당수'라는 호칭은 그러니까, 좌중에 늘 그가 있지만 특별히 말
하는 것도 없다, 그냥 앉아만 있어도 영향을 받는다는 얘기다.
어쩌면 조영래가 싫어했던 온갖 수식어—서울대 수석합격이라
느니, 고등학생 시위 주동자라느니 하는—에서 자유로웠던 부
러운 친구였다. 실제로 신동수는 대단한 독서가였고 서울대학
교에서 몇 년을 지낸 조영래가 절실하게 그리운 친구였다.

그 신동수가 대학에 들어옴으로써 조영래는 학생운동과 관련
된 많은 부분을 그에게 맡길 수 있었고 자신의 진로에 대해 본
격적으로 고민하기 시작했다. 법대생이면서도 대학 내내 법전이

라고는 들추어보지도 않은 그였다. 법조인이 되고자 하는 생각이 없었다. 그랬던 그가 졸업을 앞두고 생각을 바꾸어 사법시험을 보기로 마음먹는다. 구체적으로 그 이유를 밝힌 적은 없지만 그와 가장 많은 교감을 한 장기표의 말에서 이유를 짐작해 볼 수 있다.

"이 나라에서 인권의 문제라고 하는 것은 어떤 개인의 권리 다툼에서 비롯되는 것이 아니고 폭력을 능사로 아는 권력에 의해서 침해받는 인권의 문제를 제기하는 것이기 때문에 인권 문제에 대한 변론 활동은 바로 권력을 공격하는 성격을 띠고 있다고 생각합니다. 조 변호사가 변호사로서의 역할을 수행하려고 했던 것은 바로 이 때문이라고 생각합니다 …… 법률적인 폭력은 사실은 굉장한 폭력인데 합법이라는 이름으로 오히려 정당화되고 있지요. 여기에 대한 공격을 효과적으로 하는 데 변론 활동이 필요하다고 생각한 것입니다."

아직 우리나라에 인권변호사라는 말이 생기기도 전에 조영래는 바로 그런 변호사가 되기로 마음먹은 것이었다. 그것은 대학원에서 〈노동계약의 효력에 대한 연구〉라는 논문을 쓰며 절실해진 것으로 보인다. 그는 주위에 "한국의 법을 들여다보니 아무 소용이 없더라. 한 사람의 근로자에게 최소한 근로기준법 하나를 더 가르쳐 주어 일깨우는 것이 급선무가 아니냐."라는 말을 했다. 준비한 논문 주제도 그러려니와 그가 탄식한 내용에서 그가 운명적으로 맞닥뜨릴 전태일의 그림자가 어른거린다. 불가사의한 일이지만 조영래가 그런 말을 하고 다닐 때는 전태일이 분신하기 8개월 전인, 1970년 3월이었다.

1970년은 대학 사회의 반정부 투쟁이 소강상태였다. 그러나 박정희 정권과의 대회전을 앞둔 숨 고르기였을 뿐인 폭풍전야라고 할 수 있었다. 당시의 상황은 서울법대에서 '전국대학생연맹' 명의로 발표한 '4·19 10주년 백서: 학생운동의 나아갈 길'이란 문건이 잘 말해 주는데, 이 문건은 대학원생이자 사법고시를 준비하던 조영래가 쓴 것이었다. 탁월한 정세 인식과 세상을 바꾸고자 하는 치열한 집념을 보여 주는 글로 여러 대학 학생들이 운동의 지침서로 삼았다.

"……미국의 신 고립주의적 세계전략에 따른 일본의 재등장, 박정희 정권의 친일 사대적 대일의존 정책으로 말미암은 한국경제의 대일예속 심화, 선 건설·후 분배라는 그릇된 개발철학에 따른 근로자들의 참상, 삼선개헌의 범죄적 단행에서 드러난 의회민주주의의 몰락과 평화적 정권교체의 차단, 병영 국가적 폭력지배를 위한 향토예비군과 교련(학교 군사훈련)의 강화, 상업주의 에로 문화의 보급을 통한 국민의 정치적 무관심 조장, 야당의 시녀화와 언론의 어용화 …… 박정희 정권의 친일 사대적 편향 경계, 근로대중의 생존권 투쟁 지원, 반파쇼민권 투쟁의 강화를 통한 사회 각 부문의 민주화 실현이 우리의 과제다……".[7]

전태일을
만나다

1970년 11월 13일, 서울 동대문 평화시장 앞에서 한국 노동
운동의 역사를 바꾼 사건이 일어났다. 평화시장 피복 공장의 재
단사이자 노동운동가로 활동하던 스물두 살의 전태일이 온몸
에 휘발유를 붓고 불을 붙였다. "근로기준법을 지켜라", "우리는
기계가 아니다"라고 외치며 평화시장 앞을 달리다 "내 죽음을
헛되이 말라"는 외마디 말을 남기고 쓰러진 뒤 끝내 일어나지
못하고 숨을 거둔 것이다.

1970년대를 연 사건이자 우리 현대사에서 가장 중요한 사건
으로 꼽히는 전태일의 분신 사건이 일어나기까지를 요약해 보자.

전태일은 1948년 8월 26일 대구의 한 가난한 집안의 맏아들
로 태어나 1954년 가족과 함께 서울로 올라왔다. 1960년 남대
문 초등학교 4학년에 들어갔지만, 같은 해 아버지가 사업에 실

패하면서 학교를 중퇴하고 이때부터 동생과 함께 동대문시장에서 행상을 하며 생계를 이었다. 1965년 아버지에게 배운 재봉기술을 바탕으로 평화시장의 피복 공장 보조로 취업해 하루 14시간씩 힘겨운 노동을 하고 일당으로 당시 차 한 잔 값인 50원을 받았다.

이듬해 직장을 옮겨 미싱사로 일하기 시작하면서 어린 소녀들이 일당 70원을 받으며 점심도 굶은 채 고된 노동에 시달리는 것을 보고 이때부터 노동운동에 관심을 가졌다. 특히 이 무렵 함께 일하던 여공이 직업병으로 인해 폐결핵 3기 진단을 받고 강제 해고되는 등 사업주의 노동 착취와 비인간적인 행위가 계속되는 것을 보고 충격을 받았다. 그 뒤 여공들의 어려운 일을 도와주었더니, 여공들을 도와주었다는 이유로 해고되는 황당한 일을 겪었다.

1968년 우연히 노동자를 보호하는 법인 노동법이 있다는 것을 알고, 근로기준법 해설책을 사 법의 내용을 이해한 뒤, 이때부터 평화시장 재단사들을 중심으로 근로 조건 개선을 위한 모임을 준비하기 시작하였다. 이듬해 6월 드디어 평화시장 최초의 노동운동 조직인 '바보회'를 창립하고 회원들과 평화시장 여공들에게 근로기준법의 내용을 알려 주면서 근로 조건의 부당성을 역설하는 한편, 설문을 통해 평화시장 내 노동실태를 조사하였다. 그러나 이 일은 실패로 끝나고 평화시장에서도 더 이상 일을 못 하게 된 전태일은 한동안 공사판을 전전하며 막노동을 하였다.

1970년 9월 평화시장의 노동환경 개선에 자신의 모든 것을 바치겠다는 결심을 하고 다시 평화시장으로 돌아온 그는 재단사로 일하면서 이전의 '바보회'를 발전시켜 '삼동친목회'를 조직한다. 그 뒤 노동실태 설문지를 돌려 126장의 설문지를 수합하고, 90명의 서명을 받아 노동청에 노동 조건 개선을 희망하는 진정서를 제출한다. 이 내용이 《경향신문》에 실리면서 '삼동회' 회원들은 본격적으로 평화시장 근로 환경 개선 운동에 나서, 10월 8일 동료 두 명과 함께 평화시장 관리사무실을 찾아가 사업주 대표들과 임금·노동 시간·노동 환경 개선, 그리고 노동조합 결성을 지원해 줄 것 등을 협의하였다. 이즈음 정부의 태도도 바뀌어 회유를 통해 일을 무마하려는 쪽으로 돌아섰지만 약속은 지켜지지 않았고, 이후에도 몇 번에 걸쳐 노동 문제 해결을 위한 약속을 하였으나, 번번이 지키지 않았다.

이에 분개한 전태일과 삼동회 회원들은 분신 사건 당일인 11월 13일 허울뿐인 근로기준법 화형식을 하기로 결의하고, 플래카드를 준비해 노동환경 개선을 요구하며 시위를 벌였다. 당시 평화시장 주변에는 시위 소식을 들은 많은 노동자가 모여들었

고, 경찰들은 평화시장을 에워싸고 있었으며, 사업주들은 노동
자들이 밖으로 나가지 못하도록 막고 있었다. 삼동회 회원들은
주위를 향해 소리 높여 그들의 요구를 외쳤으나 플래카드를 경
찰에게 빼앗기고, 시위 역시 경찰의 방해로 실패로 끝나갈 즈
음, 전태일은 온몸에 휘발유를 붓고 불을 붙였다.

제일 먼저 소식을 전한 《한국일보》 기사는 이랬다.

작업 환경 개선을 위해 투쟁하던 종업원이 당국과 업주의
불성실한 태도에 반발, 분신자살했다. 13일 하오 1시 30분
께, 서울 중구 청계천 6가 피복 제조상인 동화시장 종업원
전태일(23, 성북구 쌍문동 208) 씨가 작업장 안의 시설 개선
을 요구하는 농성을 벌이려다, 출동한 경찰에 의해 제지당
하자 온몸에 석유를 뿌리고 분신자살을 기도, 메디컬 센터
를 거쳐 성모병원에 옮겼으나 이날 밤 10시께 끝내 숨졌다.

전 씨는 지난 10월 7일, 청계천 5, 6가 동화시장, 평화시장,
통일상가 등 400여 피복제조상의 작업장 시설을 근로기준
법에 맞게 개선해 달라는 진정서를 노동청에 냈으나 두 달
이 넘도록 아무런 시정도 없이 이날 낮 1시 20분, 3개 시장
재단사 친목회 회원 10여 명과 함께 시장 앞에서 농성을 벌
이려 했다. 전 씨 등은 "우리는 기계가 아니다", "근로기준법

을 준수하라"고 쓴 플래카드를 미리 출동한 경찰에 뺏기자, 전 씨 혼자 평화시장 앞길에서 분신자살을 기도한 것이다.[8]

이 놀라운 소식을 듣자마자 제일 먼저 전태일이 안치된 성모병원으로 달려간 사람이 바로 조영래의 친구 장기표였다. 그도 생전에 전태일을 만나 본 적은 없지만 남다른 인연이 있었다. 당시 장기표는 지하신문 '자유의 종'을 발행하고 있었는데, 전태일이 분신하기 한 달 전 평화시장 노동자들의 열악한 상황을 실었다. 이미 노동자들의 실태를 알고 있었던 장기표의 충격은 컸고 전태일이 분신했다는 소식을 듣자마자 성모병원으로 달려갔던 것이다. 장기표는 당시 수배 중이었기 때문에 형사들이 득시글대는 병원 안으로 들어가지 못하고 후배들을 통해 전태일의 어머니 이소선 여사를 밖으로 불러냈다.

"서울대 법대에 다니던 장기표입니다."

장기표가 자신을 소개하자 어머니 이소선은 "아이고, 우리 아들이 그러잖아도 '나한테는 왜 대학생 친구도 하나 없나' 그랬는데, 죽고 나서야 이제야 나타났구나." 하면서 몇 시간 동안 전태일의 이야기를 폭포수처럼 쏟아내었다. 장기표는 학교로 돌아가 몇몇 학생에게 사건에 대해 간단히 말해 주고 조영래를 만나러 갔다. 조영래는 고양의 용구암이라는 절에서 고시 공부에 몰두하고 있었지만 이 엄청난 사건을 조영래 없이 감당할 순 없었다.

조영래는 장기표의 이야기를 듣자마자 전태일 분신 사건의 본질을 금세 꿰뚫었다. 그는 그 길로 용구암에서 내려와 '전태일 투쟁'에 전념했다. 조영래는 전태일 투쟁을 국민 각계로 확산시키는 데 결정적 역할을 했다. 이미 3선 개헌 반대 투쟁 등을 주도해 온 데다 언론계, 종교계, 학계 등에 많은 인맥을 갖고 있었기 때문이다.

세상이 격동하기 시작했다. 먼저 학생들이 나섰다. 서울상대, 서울문리대를 비롯한 고대, 연대, 이대, 성대, 한국외대 등 그동안 학생운동을 적극적으로 해 온 대학에서는 학기 말인데도 '전태일 투쟁'에 적극적으로 나섰다. 특히 서울상대에서는 400명이 넘는 학생이 모여 박정희 정권의 반노동자적 경제개발정책을 신랄하게 비판하면서 단식투쟁까지 전개했다. 당시 상대에는 김근태, 김승호, 김대환 등 탁월한 운동가가 많았다.

한국기독학생총연맹, 새문안교회 등 기독교단체도 전태일의 뜻을 구현하는 일에 적극적으로 나섰다. 젊은 기독교 청년 활동가들인 오재식, 권호경, 김동완, 서경석 등과 김재준, 박형규 등 원로 목사들이 적극 나선 가운데 수많은 교회에서 기도회가 열려 전태일에 대한 왜곡된 선전을 바로잡는 일을 했다.

《조선일보》에서는 전태일의 일기장을 입수하여 주요 내용을 보도함으로써 대중에게 널리 알리는 데 크게 이바지했다.

이렇게 해서 전태일 사건은 국민적 관심사가 됐고, 특히 지식인들이 움직이기 시작했으며 정치권은 이 사건을 정치 쟁점화했다. 이를 위해 조영래 역시 모든 인맥을 동원하여 적극적으로 움직였다.

장례식을 앞두고 조영래는 장기표와 함께 김지하를 만났다. 1970년 유명한 시 〈오적〉을 발표한 이후 김지하는 박정희 정권을 반대하는 상징적인 인물이었다. 김지하의 회고에 따르면 두 사람은 몹시 흥분하여 전태일의 분신 소식을 알렸고, 자신들이 서울대 법대에서 장례를 치른 다음, 시신을 앞세우고 평화시장과 종로, 광화문을 거쳐 청와대까지 행진하려는 계획을 밝혔다고 한다.

조영래가 요구한 것은 전태일의 조시弔詩였다. 김지하가 가진 명성과 필력으로 사건을 사회적으로 확대하려 한 것이었다. 김지하는 찻집 구석에 앉아 〈불꽃〉이라는 제목의 시를 썼다. 전태일의 죽음과 이후 그를 추도하는 '전태일 투쟁'의 과정은 무엇보다 조영래가 쓴 《전태일 평전》에 가장 격정적이고 생동감 있게 그려져 있다.

1970년 11월 13일 평화시장 앞길에서 일어난 사건은 단순히 한 젊은 노동자가 죽어갔다는 것일 뿐이다. 한국 사회에서 한 노동자의 죽음은 전혀 중요한 사건이 되지 아니한다. 먼 나라의 어떤 유명한 영화배우가 손가락을 다치는 것은 하나의 사건이 될 수 있어도, 노동자가 죽어 간 사연은 세상에 알려지지 아니한다.

매일매일 수많은 노동자들이 죽어 간다.

직업병이 숱한 젊은 목숨들을 갉아먹고, 때로는 인간 이하의 가혹한 노동환경이 불운한 노동자들을 비명에 죽게 하고, 해마다 수백 수천 명의 광부들이 무너진 갱도 속에 생매장되어 가도, 세상은 눈 하나 깜짝하지 아니한다. 가난에 못 박혀 스스로 목숨을 끊는 수많은 밑바닥 인간들의 죽음의 사연은 세상의 관심 밖의 일이다. 그래서 사람들은 '파리 목숨'이라고 말한다.

노동자의 죽음은 이름이 없다. 그러나 전태일의 경우는 달랐다.

그는 국민학교도 제대로 다니지 못하였고, 평생을 주린 창자가 차도록 밥 한 끼 포식해 본 일이 드물었으며 죽을 때까지도 무허가 판자촌에서 살았지만, 비록 그는 아무도 알아주지 아니하고 누구에게도 존경을 받아보지 못하고 이름

없이 살아온 핫빠리 인생이었지만, "내 죽음을 헛되이 하지 말라!"고 외치며 죽어 간 그의 죽음만은 세상에 알려졌고, 세상에 충격을 주었고, 마침내 얼음처럼 굳고 차디찬 현실을 뚫는 불꽃이 되어 하나의 사건으로, 역사적인 사건으로 기록되게 되었다. 그의 죽음이 세상에 던진 충격, 그의 죽음이 우리 민중의 역사에 끼친 영향은 오늘 이 시점에서까지도 충분히 측량할 수가 없다.

노동운동을 하던 한 젊은이가 근로기준법 책을 불태우고 그와 함께 스스로 불태워 죽었다는 이 보기 드문 사연이 세상에 알려지자, 우리 사회에 하나의 놀라운 변화가 일어났다. 그의 죽음과 함께 평화시장 어두운 골방 속의 참혹한 노동에 관한 소식이 세상에 알려졌고, 그것이 발단이 되어 전체 한국 노동자들이 겪고 있는 인간 이하의 고통에 대한 관심이 새로이 일어나기 시작했다. 사람들은 이제껏 아무도 발음하려고 하지 않던 노동자니 노동운동이니 하는 어휘들을 입에 올리기 시작했다. 영원한 침묵의 그늘 속에 덮여 버려져 있었던 노동 문제가 신문, 잡지, 지식인들의 대화, 학생과 노동자들의 항의의 목소리 속에 공공연히 나타나게 되었다. 이러한 사태의 변화, 발전은 물론 그 당시의 정치, 사회적 조건 아래에서 가능하게 되었던 것이지마는, 그러나 그럼에도 불구하고 그것은 전태일이라는 한 인간의 육성이, 그 처절한 사랑과 분노와 항의로 불타는 육탄이 우리 사회에 던진 충격의 결과였다.

그가 죽은 지 사흘째 되던 날, 즉 1970년 11월 16일, 서울대학교 법과대학에서는 학생 백여 명이 모임을 갖고 가칭 '민권수호학생연맹준비위원회'를 발족, 전태일의 시체를 인수하여 서울법대 학생장으로 장례식을 거행하겠다고 하였다. 그들은 전태일의 시체가 안치되어 있는 성모병원 시체실로 몰려가서 전태일의 어머니를 만나 시체 인수의 뜻을 밝히고 허락을 얻었다. 전태일의 어머니 이소선 씨는 그때까지도, 아들의 뜻이 관철되지 아니하는 한 병원 측으로부터 시체를 인수하지 않겠다고 버티고 있었던 참이었다.

이때를 시발점으로 하여 정치, 사회정세는 격동을 하기 시작했다. 정부는 아연 긴장, 노동청을 통하여 전태일의 유족들과 노동자들을 무마하려 하였다.

11월 16일 오후, 서울대학교 상과대학생 400명이 집회를 열고 정부의 정책에 대해 비판을 가하며 무기한 단식투쟁에 돌입하였다. 11월 20일에는 서울대학교 법과대학생 200여 명, 문리과대학생 100여 명, 이화여자대학생 30여 명이 법과대학 구내에서 '전태일 추도식'을 갖고, 전태일을 죽인 기업주, 어용노총, 지식인, 모든 사회인들을 고발하며 항의 시위에 나서 기동 경찰과 충돌하였다. 같은 날, 연세대학생 200여 명, 고려대학생 300여 명도 항의 집회를 열고 "모순된 경제 질서, 극단화된 계층화 현 정권의 개발독재를 전 민중에게 고발"하는 내용의 '국민 권리 선언문'을 채택하였다. 이날을 기하여 서울대학교에 무기한 휴교령이 떨어졌다.

　　그러나 대학생들의 소요 사태는 날이 갈수록 격렬하게 전개되었고, 드디어는 종교계까지도 이에 합류하게 되었다. 11월 21일, 휴교령이 내려진 서울대학교에서는 학생들의 철야농성이 벌어졌으며 이날 밤 법대생 1명이 한강 물에 뛰어들어 투신자살을 기도하였고, 문리대생 1명이 휘발유 통을 가방 속에 넣고 교정에 들어가 분신자살을 하려 하다가 경찰에 체포되었다. 11월 22일에는 새문안교회 대학생부 학생들이 교회 안에서 전태일의 죽음에 대해 항의하고 참회하는 금식 기도회를 가졌다. 11월 23일에는 연세대생 200명이, 11월 24일에는 한국외국어대 학생들이 성토대회를 가졌다. 11월 25일에는 기독교인들이 신·구교 합동으로 전태일 추도 예배를 가졌다. 이날 추도사에서 김재준 목사는, "우리 기독교도들은 여기서 전태일의 죽음을 애도하기 위해 모인 것이 아니라, 한국 기독교의 나태와 안일과 위선을 애도하기 위해 모였다"고 말하였다.

이러한 움직임은 전국 각지의 학생들과 각처의 종교단체들에 확산되어, 대체로 학생들이 겨울방학에 들어갈 무렵까지 계속되었고 이때 결집된 학생들과 종교계 인사들의 각성과 투쟁이 1970년대의 박정희 정권 비판 세력으로 그대로 연결, 성장하였다고 해도 과언이 아니다.

전태일 투쟁은 현실의 질곡 아래 짓눌려 인간다운 삶을 빼앗기고 있었던 모든 민중들, 특히 젊은 노동자들에게 비상한 충격을 주어 빈사 상태에 있던 한국 노동운동에 새로운 활력을 불어넣었다. 곳곳에서 노동자들의 항의가 종래에 볼 수 없을 정도로 격렬하게, 그리고 빈번하게 일어났으며, 한국 노총 아래서의 무기력한 어용노동운동에 대한 비판이 활발하게 제기되었다. 신문 보도를 통하여 세상에 알려진 몇 가지 경우만 보더라도 그러한 사정을 짐작할 수 있다.

11월 20일, 청주의 여공 50명이 상경, 체불 노임 청산 등을 요구하며 노동청 앞에서 농성을 벌였는데, 이러한 투쟁 양상은 거의 전례 없는 것이었다.

11월 25일, 한미합작 투자업체인 조선호텔에서는 그동안 노동조합(철도노조관광지부 조선 호텔 분회)을 결성했다가 분회장이 납치당하여 행방불명됨으로써 노조를 해산당하였던 호텔 종업원들이, 노동조합을 재건하려다 회사 측에 발각되어 주동자 5명이 해고당한 데 반발, 그중 한 명이 호텔 구내에서 휘발유병을 들고 분신자살을 기도한 사건이 발생했다.

11월 27일에는 의정부 외기노조원 21명이 사용자 측의 노조 운동 방해에 항의하여 농성 투쟁을 벌이면서 전원 분신자살을 기도하여 사용자와 경찰을 공포에 떨게 하였다.

12월 21일에는 평화시장에서 전태일의 동료 12명과 어머니 이소선 씨가 노조결성을 방해하는 경찰 처사에 항의하여, 평화시장 건물의 옥상에서 농성하면서 출동한 기동 경찰을 향하여 노조 방해 책동을 그만두지 않으면 전원 분신자살하겠다고 위협, 마침내 그들을 굴복시켰다.

다음 해인 1971년 2월 2일에는 서울 중구 북창동에 있는 한식 음식점 한국회관의 종업원 김차호 씨가 "월급 4500원을 받으면서 하루 18시간씩 노동할 수 없다", "평화시장 전태일 선배의 뜻을 따라 우리같이 딱한 전국 요식업체 종업원들의 근로 조건 개선을 죽음으로 호소하겠다"고 하면서 50여 명의 동료 종업원들이 지켜보는 가운데서, 동 회관의 한 방에서 프로판가스통을 풀어놓고 약 2시간 정도 경찰과 대치하며 농성하다가, 성냥불을 켜대어 분신자살을 하려 하였으나 경찰관이 달려들어 불을 꺼 버린 사건이 발생했다.

이와 같은 몇 가지 사건들은 한국 노동자들의 고통과 분노가 목숨을 거는 항쟁에 서슴없이 나설 정도로 극한적인 데까지 다다르고 있었다는 것을 웅변으로 증명해 주는 것이다. 그리고 종래에 볼 수 없었던 노동자들의 이러한 격렬한 쟁의의 폭발도, 바로 전태일이라는 한 청년노동자가 육탄으로 던진 '인간 선언'에 바치는 전체 노동자들의 공감과 환호와 분노의 갈채였던 것이다.

전태일의 죽음, 그리고 그에 잇따른 학생, 노동자, 종교인들의 궐기는 노동 문제를 사회 여론의 제1차적 관심사로 등장시켰다. 종전에는 노동 문제라면 사실 보도조차 기피하던 신문, 방송, 잡지 등의 보도기관은 날이면 날마다, 달이면 달마다 노동 문제에 관한 보도, 특집 기사, 논설을 실었다. 마치 전태일이 죽음으로써 여태껏 존재하지 않았던 노동 문제가 갑자기 폭발적으로 생겨나기나 한 듯했다. 《동아일보》1971년 신년호는, 6·25가 1950년대를 상징하듯, 4·19가 1960년대를 상징하듯, 전태일의 죽음은 1970년대의 한국의 문제를 상징하는 가장 뜻깊은 사건이라고 평가했다. 11월 13일 직후 한동안 애매한 태도를 취하던 언론기관들은 논설은, 학생, 노동자, 종교인을 주축으로 한 전태일 투쟁이 격화되면서부터는 태도를 바꾸어 노동자들의 참상을 폭로하고 노동 행정의 실태에 비판을 가하며 '노동정책의 일대 전환'을 요구하기에 이르렀다.[9]

11월 20일 서울대 추도식에서 조영래가 작성한 시국선언문이 발표되었고 12월에 조영래는 약 보름여의 맹렬한 활동을 뒤로 하고 다시 용구암으로 들어갔다. 자신의 영혼을 뒤흔들어 놓은 전태일과의 만남은 그렇게 이루어졌고 남은 생애를 그와 함께 하기 위해서는 냉정을 되찾고 할 일이 있었다. 사법시험이 불과 두 달 앞으로 다가와 있었던 것이다. 조영래는 다시 무서운 집중력을 발휘했다. 겨울 한 철 동안 법전과 사투를 벌인 그는 이듬해 2월에 치러진 사법고시에서 80명의 합격자 명단에 자신의 이름을 올렸다.

이옥경과의
만남

일제 강점기에 행하던 천황에 대한 충성맹세문을 본받아 국민교육헌장을 만들어 학생들에게 외우게 한 박정희는 대학에도 교련 수업을 필수과목으로 집어넣었다. 교련은 대학생들에게 군사훈련을 시키는 것이었다. 박정희는 전체주의에 매혹된 파시스트였다. 일사불란한 군대 체제를 끊임없이 사회에 적용하려 했고 마침내 자유와 진리를 추구하는 대학마저도 병영처럼 만들고자 했다. 교련 반대 시위가 뜨겁게 달아올랐고, 많은 학생이 1971년이 가기 전에 독재정권을 끝장내자는 결의에 차 있었다.

4월 27일에 있었던 대통령 선거에서 박정희는 근소한 차이로 김대중을 누르고 당선되었다. 하지만 곳곳에서 부정과 불법으로 의심되는 사례가 발견되었다. 학생들은 부정선거로 규정하고 투쟁에 나섰다. 서울대생 900여 명이 교문 밖 큰길까지 나와 시위했다. 부정선거를 규탄하고 교련 반대를 외치는 학생들의 함성에 독재정권은 위수령으로 화답했다. 대학에 군인들이 쳐들어와 학생들의 움직임을 원천봉쇄한 것이었다.

조영래는 정국을 예의 주시하며 9월에 예정된 사법연수원 입교를 준비하고 있었다. 그러던 어느 날 《동아일보》를 읽던 그의 눈이 한 곳에 멈추었다. 평소에 신문을 보면서 정세를 분석하고 파악하는 일에 남다른 능력을 보인 그답게 신문을 읽을 때는 신경을 집중하는 버릇이 있긴 했다. 6월 3일 자 5면에는 조영래 자신이 회원으로 있던 서울법대 동아리 사회법학회의 소식이 실려 있었다. 1958년에 처음 만들어져 13년 동안 했던 활동을 소개하며 상당히 우호적으로 쓴 기사였다. 실제로 사회법학회는 빈민촌이나 탄광, 부두 노동자 등 사회적 약자들의 삶으로 들어가 실태를 파악하고 문제점을 찾아 보고서를 작성하는 등 실천적인 활동을 많이 한 동아리였다. 물론 회원 중 상당수가 서울법대 운동권의 핵심들이었다.

그런데 조영래의 눈이 머문 곳은 동아리 기사 바로 아래에 연이어 있던 또 다른 기사였다. '양심의 아픔 없는 안락을'이라는 제목의 기사였다.

…… 한국 사회에서 양심을 더럽히지 않고 산다는 것은 정말 어렵게 보인다는 ─이 슬프고 치사한 사실이 정말이지

진절머리 나도록 싫기 때문에 우리 세대는 정치적, 사회적이 되지 않을 수 없다— 그러나, 그렇다고 해서 입 다물고 있을 수는 없지 않은가. 그렇기 때문에 학생들은 부끄러워하면서도 데모를 하고 단식을 하고 초가 밑의 야만적 생활을 가슴 아파하고 동빙고동에, 선거 부정에, 모든 부정에 분노하는 것이다. 바르게 살 수 있는 사회를 위해서 정치 사회의 과중한 압력에서 벗어나기 위해서 정치와 사회에로 향하게 되는 우리의 이율배반을 알아줄 수는 없는 것일까.[10]

기사가 아닌 독자 투고였다. 글을 쓴 이는 노동자 전태일의 죽음 앞에서 슬퍼하고 분노한 이화여대 신문학과 4학년생 이옥경이었다. 전태일의 '대학생 친구' 조영래는 이 투고에 눈을 떼지 못했다. 자신의 삶과 사회에 대해 절절하게 고민하는 한 젊은이의 모습이 그 기사 안에 있었다. 일급 글쟁이이자 탁월한 감식가인 조영래는 비록 짧은 투고 글이지만 글쓴이의 내면을 보는 듯했다. 불과 여덟 달이 지났을 뿐인데 끓어오르던 노동자 이야기는 신문 어디에서도 찾을 수 없었다. 물론 박정희 정권의 폭압과 대통령 선거를 둘러싸고 분위기가 어수선한 탓도 있었다. 그러던 차에 한 여대생이 쓴 글은 마치 맑은 샘물 같은 느낌이었다.

'이 여학생을 만나 봐야겠다.'

자연스럽게 머릿속에 떠오른 생각이었다. 이리저리 수소문해 법대 후배들을 통해 쉽게 연결되었다. 이옥경 역시 이화여대의 진보적인 학생동아리인 '새얼'의 창립구성원으로서 민주화 운동에 열렬히 참여하고 있었다.

불의한 사회를 진절머리 나게 싫어했던 여대생과 첫눈에 반한 조영래는 금세 사랑에 빠진다. 전태일이 두 사람 사이의 다리가 된 것이었다.

갓 시작한 이옥경과의 연애 속에서도 조영래는 현대사에서 지울 수 없는 중대한 사건에 깊이 관여한다. 저 유명한 '원주캠프'와의 만남이었다.

1970년대 한국 민주화 운동의 진정한 교두보는 강원도 원주였다. 이미 1960년대 중반부터 꾸준히 지역 역량을 쌓아 올린 원주가 첫 봉화를 올린 것이 1971년 가을이었다. 시작은 조금 우발적인 면이 있지만 그 또한 부정부패로 얼룩진 정권에서 기인한 것이었다.

원주에서는 지학순 주교와 장일순, 김영주, 김지하 등을 중심으로 커다란 움직임이 꿈틀대고 있었다. 가톨릭을 발판으로 하는 새로운 사회운동이었다. 전 세계적인 연결망과 영향력을 가지고 있는 가톨릭은 그때까지 사회문제에 대해 아무런 목소리를 내지 않고 있었다. 요컨대 가장 보수적인 종교가 가톨릭이었다.

그런 중에 원주에서 뜻밖의 일이 터졌다. 원주문화방송의 방만한 부실 운영이었다. 원주문화방송은 1969년 원주교구가 1700만 원, 5·16장학회가 1300만 원을 내서 출범했는데 운영권은 거꾸로 5·16장학회가 6대 4로 원주교구보다 더 큰 영향력을 행사하고 있었다.

지학순 주교가 시정을 요구했지만 관계자들은 도리어 방송국 주식을 총회 의결조차 없이 팔아 버렸다. 지 주교는 "권력의 비호를 받고 있는 자들이 얼마나 부패했으며 얼마나 횡포를 부리고 있는지 뼈저리게 체험했다. 가톨릭 주교인 내가 이렇게 당하는데 서민들은 오죽하겠는가. 억울한 서민들을 대표해 교회가 일어서야 할 때가 왔다"며 거사 일을 1971년 추석날로 잡았다.

지 주교는 추석 미사에서 원주문화방송 사례를 들며 "우리 사회가 썩어 있다"고 개탄했다. 1971년 가을을 떠들썩하게 만든 '원주 시위'의 신호탄이었다. 김지하가 지휘부를 구성했다. 사제관에 틀어박혀 정보를 수집하고 중요한 판단이나 문건, 일정 변동이나 우발적인 일 등에 대처하는 통제탑 역할을 맡았다. 그리고 모든 일을 학생운동, 사회운동 전반을 지휘하고 조율하던 조영래와 긴밀히 협의했다.

조영래는 이때 이미 사법연수원에 다니고 있었다. 그러는 동안에도 몇 차례 원주를 찾아 김지하 등과 의논하며 '원주 시위'를 서울 학생운동과 기독교 신·구교 및 언론계, 재야 지도자층과 연결한 것이다.

김지하가 쓴 원주 시위 선언문은 조영래를 통해 《동아일보》 천관우 이사에게 전달되었고 이후 박형규 목사, 박홍 신부, 학생운동 지도부, 외신에까지 전달되었다.

마침내 1971년 10월 5일 2000여 명의 신도가 원주교구 성당 마당에 모였다. 보수적인 종교계 내에서, 그것도 가톨릭 신부들이 앞장서고 시골 할머니 2000여 명이 모여 정부의 실정과 반민주적 철권 정치, 부패 스캔들을 공격하고 나섰으니 당시로써는 충격적인 사건이었다. 《동아일보》는 바로 이튿날인 10월 6일자로 '원주 시위'를 대서특필하기 시작했다.

김지하의 회고다.

"시위가 벌어진 사흘 동안 한국의 종교계 민주화 운동 세력, 학생운동 세력이 하나로 연결되었다. 밤마다 횃불이 켜졌고 사제관 전화통에 불이 났다. 그 열기를 온몸으로 느끼며 정세의 큰 물줄기가 바뀌고 있음을 직감했다."

원주 시위 소식은 일본으로, 유럽으로, 미국으로 확산되었다.

원주문화방송이 사과함으로써 일단 마무리되지만 당시 투쟁을 계기로 원주교구는 10여 년에 걸쳐 '반反유신 민주화 운동'의 메카가 된다.

1971년 10월 김지하가 원주 시위를 지휘하며 조영래와 긴밀한 연락을 취할 때였다. 원주 주교관에서 만난 김지하는 모든 일을 너무나 완벽하게 척척 처리하는 그를 칭찬했다.

"조 형, 참 대단하오. 대단해."

그러자 조영래가 대답했다.

"안 듣겠습니다."

"이 모든 일을 어찌어찌 해나가고 있는지 말을 좀 해 주시오."

"모르십시오."

조영래는 그런 사람이었다. 평생토록 자신이 한 일을 드러내지 않았다. 서울대학교의 온갖 시위에서 발표된 많은 선언문이 그가 쓴 것이었으며 역사에 남을 저 세 개의 작품 —김지하가 쓴 것으로 알려졌던 〈양심선언〉,《전태일 평전》, 필자 미상으로 떠돌던 장시 〈노동자의 불꽃〉— 모두 그의 손끝에서 나왔지만 그는 끝내 자신이 필자임을 밝히지 않았다. 노자의 《도덕경》에 공수신퇴功遂身退라는 말이 있다. 결실을 이루고 자신은 물러난다는 뜻이다. 조영래가 산 삶은 언제나 공수신퇴였다.

'원주 시위'가 벌어진 10월 5일, 서울에서는 또 다른 사건이

벌어진다. 새벽에 수도경비사령부 제5헌병대 소속 무장군인 30
여 명이 군 트럭 세 대와 지프 한 대에 나눠 타고 고려대 정문
수위로부터 학생회관 열쇠를 빼앗아 4층 휴게실에 있던 학생
다섯 명을 연행한 것이다. 이른바 '고려대 무장군인 난입 사건'
이었다.

7일 고려대생들이 들고일어났다. 학생들은 김상협 고려대 총
장의 강력 항의로 풀려났지만 사건은 일파만파로 번졌다. 10월
8일 민관식 문교부 장관까지 나서 유재흥 국방부 장관에게 항
의서를 전달하고 진상 규명과 재발 방지를 요구했다. 전국 모든
대학에서 규탄시위를 했다. 그대로 두었다가는 어떻게 번질지
모르는 상황으로 가고 있었다.

마침내 10월 15일 서울시 일원에 위수령이 떨어졌다. 무장 군
인들이 각 대학에 투입됐고 두 차례에 걸쳐 대학가에 휴업령이
내려졌다. 시위 주동자들에 대한 연행과 수배가 시작됐다. 10월
20일까지 23개 대학, 학생 177명이 제적됐다.

그리고 11월 13일, 중앙정보부는 서울대생 네 명과 사법연수
원생 한 명이 국가 전복을 모의했으며, 그 가운데 네 명이 국가
보안법 제1조 반국가단체 구성과 형법 내란예비음모 혐의로 구
속되었다고 발표했다. 사법연수원생 한 명이 바로 조영래였다.

과연 어떤 일이 일어난 것일까. 반국가단체 구성과 내란예비

음모는 사형에 처할 수 있는 어마어마한 죄였다. 중앙정보부가 발표한 사건의 내용은 이랬다.

'서울대학교 학생인 김근태, 장기표, 심재권, 이신범과 사법연수원생 조영래 등 5인은 지난 대통령 선거를 전후로 교내와 하숙집 등에서 모의, 학생 데모를 일으켜 경찰과 충돌을 유도하고, 이때 사제폭탄을 사용해 중앙청을 습격해 장악하고, 이어 정부를 전복하려 했다. 이들은 현 정부를 전복한 뒤 '민주혁명위원회'를 구성, 대선에서 패배한 김대중 씨를 위원장에 추대하고, 부정부패자 처단을 위한 '혁명입법'까지 미리 만들어 놓았다.'

그들이 발표한 것처럼 대통령 선거를 전후해서 다섯 사람이 만난 곳은 다른 곳이 아닌 조영래의 집이었다. 대통령 선거가 끝난 직후인 5월 초순이었다. 그날은 함께 학생운동을 하던 서경석이 입대하게 되어 환송식을 겸한 자리였다. 당연히 술을 마셨고 대통령 선거에서 여러 부정을 목격한 그들은 울분을 토했다. 적은 표 차로 선거에서 진 것에 대해 아쉬움을 토로하기도 했다. 술에 취한 이신범이 이런 말을 했다.

"외국 잡지에서 학생들 데모하는 걸 봤는데, 화염병을 사용하더구만."

그러자 누군가 농담처럼 받았다.

"그래? 우리도 혁명 한번 하지, 뭐. 네가 중앙정보부장 해라.

나는 서울신문 사장이나 할 테니. 하하."

그게 다였다. 술자리에서 나누었던 농담이 검찰의 공소장에는 어떻게 바뀌었을까.

조영래의 집으로 자리를 옮겨 동 조영래와 함께 약 2시간에 걸쳐 폭력에 의해 현 정부를 타도, 전복할 것을 재차 합의하고 대형 자동차 한 대를 능히 파괴할 수 있는 화염병 100여 개를 제조한 다음, 경찰이 발포토록 유도하여, 시위 학생 중 사상자가 발생하면 시위 학생들을 완전히 폭도화시켜 중앙청을 향해 진격케 하면서, 경찰 관서를 비롯한 중요 관공서를 파괴, 강점하고 …… 입법·사법·행정 등 3권을 통괄하여 과도적으로 집권하면서 …… 거사 계획을 실행하기 위해 피고인 조영래는 동 혁명위원회의 구성 및 인선을, 동 이신범은 화염병 제작을, 동 장기표는 학생 시위의 명분 안출 및 각 대학 연락을, 동 심재권은 서울대학교를 제외한 타 대학생들의 시위 유발을, 공소 외 김근태는 서울대학생들의 시위 유발을 각각 책임지기로 하고…….[11]

공소장대로라면 무시무시한 계획이었다. 그러면서 이를 '9단계 국가전복계획'이라고 이름 지었다. 다섯 명 모두 서울대생이라는 것과 그중 조영래는 사법고시에 합격한 사법연수원생이라는 사실 때문에 발표 당시 사회적으로 큰 충격을 준 사건은 오히려 조롱거리가 되었다. 사람들은 이 해괴한 계획에 대해 학생들을 옭아매려는 '희망의 아홉 고개'라고 비웃었다.

그러나 이 사건은 조영래의 일생에서 처음이자 마지막 감옥살이가 되었고 그 경험은 변호사로서 살아가는 데 큰 밑거름이되었다. 그는 열흘 이상 혹독한 고문을 당했고 체포된 동료들은 따로따로 감금된 채 자백을 강요받았다. 마치 '상처에 소금을 비벼 넣는 듯'한 고문의 고통은 견디기 어려웠고, 결국 그들은 고문하는 자들이 짜놓은 각본대로 진술하기로 했다. 나중에 법정에서 진실을 밝힐 수 있다고 생각했지만 역시 순진한 기대였다. 잡혀 와 수사를 받는 과정에서도 조영래는 그다운 일화를 남겼다. 당시 정보부에 근무했던 전 국정원장 이종찬은 이렇게 회고했다.

"어느 날 수사관들이 날 보고 '거물이 하나 들어왔다'고 하더군. 누구냐니까 조영래라는 거야. 잡혀 온 주제에 수사관들한테 조서를 그렇게 작성하지 말고 이렇게 작성하라고 지도를 한다는 거야. 다른 사람한테 죄를 뒤집어씌우지 않고 자기가 했다고 하면서 말이지. 수사관들이 감복한 거지. 인격적으로 조영래가 이겼다면서 말이야."

조영래가 모든 죄를 자기가 뒤집어 쓰려 했던 것과 달리 1심에서 검찰은 잡히지 않은 김근태를 제외한 네 명에게 징역 10년과 자격정지 10년을 구형했다. 결국 이 사건은 어마어마한 죄명에 어울리지 않게 피고인 모두에게 징역 1년 6개월에서 2년이 선고되며 끝났고 스물다섯 살의 조영래는 연인 이옥경을 두고 1년 반을 감옥에서 살아야 했다.

조영래가 잡혀가던 날 마침 그를 만날 약속이 있던 김지하는 그의 부재를 이렇게 말했다.

"영래가 없다니… 상실감이 너무 커서 한동안 얼이 빠져 지냈다. 한 사람이 옆에 있고 없다는 게 그렇게 큰 영향을 미친다는 것을 그때 뼈저리게 깨달았다. '사람이 정말 중요하다'는 것도 새삼 느꼈다. 더구나 조영래가 누구인가. 우리의 기둥이었고 자랑이었던 사람 아닌가."

조영래는 서울구치소를 거쳐 대전교도소에서 징역을 살았다. 일제 강점기에 지어진 악명 높은 대전교도소에는 장기수가 많았다. 1950년 전쟁 무렵에 들어와 20년 넘게 감옥살이를 하는 장기수들을 보며 조영래는 충격을 받았던 것 같다. 면회 간 친구에게 '여기 6·25 때 수감된 미전향 장기수가 여럿 있다.'라고 알렸다고 한다. 당시는 장기수라는 존재가 전혀 세상에 알려지기 전이었다.

낙천적이고 건강한 체질이었던 조영래는 비교적 감옥 생활을 잘 견뎠다. 원예반에 배속되어 국화를 키우고 스스로 '세상을 배우는 곳'이라고 했던 것처럼 다양한 수감자들과 교감했다. 어디에서나 사람을 귀하게 여기고 어려운 처지에 놓인 이들을 애달파하는 마음이 지극했던 그였다.

조영래는 처음에 독방에서 지내다가 소위 '일반 잡범'들과 함께 지내게 되었고 이내 방 안에서 가장 선임이 되어 감방장 노릇까지 하게 되었다. 그 방에는 조영래와 비슷한 나이에 벌써 전과가 10여 개나 되는 사람들이 있었고 3, 4범은 부지기수였다. 조영래는 감옥 안의 관례대로 감방장으로서 새로 들어오는 사람들의 신고식을 치렀는데, 육체적인 폭력과 가학을 일삼던 신고식 대신 자신의 인생 편력을 이야기하는 형식으로 바꾸었다. 많은 사람이 조영래의 큰 미덕 중 하나로 '남의 이야기 듣기'를 꼽는다. 감옥 안에서 죄를 짓고 들어온 수많은 사람의 이야기를 들으며 조영래는 감옥 생활을 자기 삶의 한 전환점으로 삼는다. 어느 인터뷰에서 조영래는 감옥에서 느낀 이야기를 한 적이 있다.

"내가 그 사람들의 처지였더라도 꼭 마찬가지였을 수밖에 없다는 생각이 듭니다. 자꾸 겪어 볼수록 거의 예외가 없는데, 유복한 가정에서 유복하게 자란 사람이 도둑질하고 감옥에 들어

오는 비율이 아주 낮아요. 그러니까 사회에서 전과자라고 낙인 찍은 사람도 깊이 생각해 보면 손가락질받아야 할 사람이 아니고 또 그런 사람에게 손가락질할 만한 사람도 없다는 생각이 굳어졌어요."

그렇게 굳어진 생각은 나중에 변호사가 되었을 때 빛나는 진가를 발휘한다.

잘 알려지지 않은 에피소드 하나. 훗날 전두환 정권이 몰락하는 결정적 계기가 되었던 박종철 고문치사 사건의 진실은 거의 기적적으로 밖으로 알려졌는데 그때 중요한 역할을 한 사람이 교도관이었던 한재동이었다. 감옥 안과 밖을 연결하여 진실을 알린 그가 맨 처음 교도관 생활을 시작하여 대전교도소에 근무할 때 처음으로 만난 민주화 운동 인사가 바로 조영래였다. 역사와 사회를 바라보는 눈을 키우고 '민주 교도관'으로 거듭난 그가 첫 징역을 살던 조영래를 만난 것은 어쩌면 우리 현대사의 우연과 필연이 겹친 한 장면이다.

조영래가 감옥에 있는 1년 반 동안 우리 사회는 요동쳤다. 조영래가 여름 징역을 살고 있던 1972년 7월 4일, 중앙정보부장 이후락은 갑자기 텔레비전에 나와 하늘이 놀라고 땅이 움직일 발표를 했다. 온 국민이 놀란 그 내용은 남과 북의 공동성명이었다.

"최근 평양과 서울에서 남북관계를 개선하며 갈라진 조국을 통일하는 문제를 협의하기 위한 회담이 있었다."

이후락의 입에서 나온 첫마디부터 귀를 의심케 하는 내용이었다. 수십 년 동안 오직 상대를 때려 부수어야 할 적으로만 선전하고 그렇게 가르쳤던 정권이었다. 그런데 갑자기 조국을 통일하기 위한 회담을 했다니.

"서울의 이후락 중앙정보부장이 1972년 5월 2일부터 5월 5일까지 평양을 방문하여 평양의 김영주 조직지도부장과 회담을 진행하였으며, 김영주 부장을 대신한 박성철 제2부수상이 1972년 5월 29일부터 6월 1일까지 서울을 방문하여 이후락 부장과 회담을 진행하였다."

점점 놀라운 내용이 이어졌다.

"조국 통일을 위하여 쌍방은 다음과 같이 완전한 견해의 일치를 보았다. 통일은 외세에 의존하거나 외세의 간섭을 받지 않고 자주적으로 해결한다. 둘째, 통일은 무력에 의거하지 않고 평화적 방법으로 실현한다. 셋째, 사상과 이념, 제도의 차이를 초월하여 한 민족으로서 민족적 대단결을 도모한다……."

4·19 후의 단 1년을 제외하면, 통일은 민족 최대의 소원이면서도 논의 자체가 금지된 단어였다. 정부 수립 후에는 호전적인

이승만 정권의 북진 통일론에 놀아나야 했고 전쟁 후에는 통일 논의 자체가 빨갱이로 몰리는 지름길이었다. 조봉암을 비롯한 수많은 사람을 죽음으로 내몬 이승만의 논리는 그들이 평화통일을 주장했다는 것이었다.

박정희도 다르지 않았다. 쿠데타로 정권을 잡자마자, 통일운동가들을 잡아들였으며 평화통일의 논조를 유지하던 《민족일보》 조용수 사장을 사형시키기까지 했다. 형인 박상희의 친구이자 자신의 결혼식에 주례를 섰던 황태성이 통일 방안을 논의하기 위해 이북에서 밀사로 내려왔을 때, 조금도 망설이지 않고 간첩으로 몰아 사형시킨 것도 박정희였다. 그랬던 박정희가 7·4 남북 공동 성명을 발표했으니 국민이 커다란 충격에 빠진 것은 당연했다.

성명이 발표되자 나라 안은 온통 환호와 기대로 가득 찼다. 천만 이산가족은 고향과 혈육을 만나볼 수 있다는 기대에 들떴고 민족의 통일을 고뇌하던 지식인, 운동가들도 성명의 내용에 적극적으로 찬동하였다.

박정희의 영원한 적수인 장준하도 지지를 표하고 나섰다. '이 7·4 남북 공동 성명이야말로 우리 민족의 거울이다. 이놈을 우리 민족의 현실 앞에 걸어 놓고 있으면 조만간에 진짜와 가짜가 가려질 것이다'라고 논평했을 정도였다.

전 국민의 지지를 받은 7·4 남북 공동 성명은 잘 진행되는 듯싶었다. 8월에는 남북적십자 1차 회담이 평양에서 개최되어 남측 대표단이 기자들과 함께 휴전 이후 20년 만에 판문점을 넘어갔으며, 9월에는 2차 회담이 서울에서 열려 역시 북측의 대표단이 휴전선을 넘었다. 통일로를 달려 서울로 오는 연도에는 수많은 시민이 나와 손뼉을 치고 손을 흔들며 환호하였다. 나라 안은 순식간에 통일 논의로 술렁였다. 반공통일, 멸공통일 외에는 금기였던 통일 이야기를 다방이나 술집에서도 쉽게 들을 수 있었다. 10월에는 남북조절위원회 1차 회담이 판문점에서 개최되었다. 비록 아무런 성과 없이 끝나기는 했지만, 남북의 권력자들이 마주 앉아 논의를 시작했다는 것만으로도 국민의 기대는 한껏 달아올랐다. 그러나 그것은 누구도 짐작하지 못했던 박정희의 음모였다.

성명의 잉크도 채 마르지 않은 1972년 10월 17일 오후 7시, 박정희는 돌연 대통령 특별성명을 발표하며 전국에 비상계엄령을 선포하였다. 중앙청 앞에 육중한 탱크가 등장했고 중무장한 군인들이 죽 늘어섰다. 국민 모르게 국가에 위기라도 닥친 것이었을까? 하지만 탱크와 총검이 겨냥한 것은 다름 아닌 대한민국의 국민이었다. 박정희는 그날 성명을 발표하며 낯설기 그지없는 단어인 '유신'이라는 말을 들고 나왔다. '모든 것을 고쳐

새롭게 함, 혹은 묵은 제도를 새롭게 뜯어고침'이라는 뜻의 유신維新은 일본의 메이지유신에서 따온 말이었다. 이 '10월 유신'은 명목상 통일을 위해서였다. 10분에 걸친 선언문에 '민족, 통일, 남북, 조국'이라는 네 단어가 무려 60번 넘게 등장하였다. 한껏 고양된 국민들의 통일 열기를 이용하여 명분을 만든 것이었다. 두말할 것도 없이 그 속사정은 박정희의 종신 집권이었다.

비상계엄에 의해 국회는 강제 해산되었고 모든 정당의 정치 활동도 금지되었다. 헌법 기능을 포함한 절대 권력이 박정희의 손안에 있는 비상 국무회의로 넘어갔다. 언론은 사전에 검열당해야 했으며 대학은 문을 닫았다. 오로지 박정희 개인이 법이요, 진리인 철권통치의 시대가 시작되었다. 한 치 앞도 내다볼 수 없는 암흑이었다.

7·4 남북 공동 성명은 유신을 위한 연막이었다. 전광석화처럼 진행된 국민투표에서 대통령 종신제를 기본으로 한 유신 헌법은 91.5%의 찬성으로 통과되었다. 상상할 수 있는 모든 부정선거가 총동원된 결과였다. 유신 헌법에 따라 대통령은 통일주체국민회의에서 간접선거로 선출하게 되었다. 그 직전 대통령 선거에서 김대중에게 혼쭐이 난 박정희는 다시는 직접선거 따위를 하고 싶지 않았던 것이다. 국회의 기능도 현저하게 약화되어 대통령은 국회를 해산할 수 있으나 국회는 대통령을 탄핵할

수 없었다. 법관의 임명권은 모조리 대통령에게 있어서 사법부역시 박정희 개인의 손아귀에 들어갔다. 그야말로 완벽한 독재체제의 출현이었다.

유신은 모든 자유로운 영혼의 입에 재갈을 물렸다. 유신을 찬성할 자유만 허용될 뿐, 어떤 비판도 금기였다. 유신 반대 발언을 한 사람은 말할 것도 없고 그러한 발언을 취재한 기자도 연행되었다. 기자들은 유신에 관한 어떤 반대 의견도 취재하지 않겠다는 각서를 써야 했다. 대부분 두려움에 입을 다물고, 더러는 소신을 버리고 유신에 영합하는가 하면 희망이 사라졌다며외국으로 떠나기도 했다. 그러나 어느 시대에나 그렇듯이 불의에 대하여 목숨을 걸고 반대하는 사람들이 있다. 뚜렷한 불의가 나타나면 그보다 더 뚜렷한 정의가 생겨나는 것이 영원한역사의 비밀이다. 유신 정권과의 길고도 피어린 투쟁이 시작될참이었다.

민청학련
수배자

이런 소용돌이 속에 1973년 5월 21일, 조영래가 대전교도소에서 만기 출소했다. 많은 사람이 그를 맞이했고 만나 볼 사람도 많았지만 조영래가 제일 먼저 찾은 사람은 전태일이었다. 이옥경의 회고다.

"대전 교도소에서 출소했을 때 저하고 전태일 산소를 찾아갔었어요. 저보고 모란공원 가자고 해서 출소한 다음 날인가에 갔었어요. 그때 저한테 그러더라고요. 전태일이 하려고 했던 걸 잊지 않고 살았으면 좋겠다고."

철저하게 민주주의를 짓밟은 정권에 대한 분노가 끓어올랐지만 살벌한 공포 분위기 속에서 떨쳐 일어나기는 쉽지 않았다. 대한민국은 꽁꽁 얼어붙은 한겨울의 땅이 되었다. 그러나 언제까지 겨울이 이어질 수는 없었다.

이듬해 봄, 그러니까 조영래가 출소하기 두 달 전에 전남대학교에서 유신 철폐를 주장하는 유인물이 뿌려진 것을 시작으로 유신 체제에 항거하는 움직임이 서서히 일어나기 시작했다. 박정희는 유신에 저항하는 어떤 움직임도 용납할 수 없다는 듯 광기 어린 행동을 서슴지 않았다. 일본에서 반유신 활동을 하던 김대중을 납치하여 끌고 오는 사태를 일으키기도 했다.

대학가에서 일어난 시위는 서울대에서 시작되었다. 유신이 선포된 지 1년이 지난 1973년 10월이었다. 김대중 납치 사건에 대한 진상 규명과 중앙정보부 해체, 학원 자유 보장 등을 촉구하는 선언문 낭독과 농성이 계속되었다. 유신 선포 1년 만에 박정희는 다시 대학생들의 거센 도전과 마주치게 된 것이었다. 서울대생들을 시작으로 전국의 대학에서 반정부 투쟁의 열기가 뜨겁게 달아올랐다.

박정희는 자신에 반대하는 어떤 움직임도 참지 못했다. 학교 안에서 일어나는 시위에 대해서도 가혹한 탄압을 서슴지 않았다. 독재자는 겉으로는 강한 것처럼 보이지만 내면적으로는 늘 두려움에 떠는 존재이다. 자신의 통치 행위가 잘못되었다는 것을 알고 있으므로 그 잘못이 국민에게 폭로되는 것을 항상 두려워한다. 박정희는 특히 그 정도가 심했다. 그는 자신을 반대하는 사람들에 대해 치 떨리는 증오심을 가지고 있었다. 그 증오심은 국가권력을 통해 잔인하게 발휘되었다.

그 무렵, 반유신 투쟁의 상징적 인물이자 실제로 핵심에 있던 김지하가 조영래를 찾아온다. 그리고 처음으로 '민청학련' 이야기를 꺼낸다.

"조영래를 만난 곳은 신촌 로터리 작은 찻집이었다. 얼굴은 창백했고 눈빛도 조용히 가라앉아 있었다. 이때를 생각할 때마다 나는 몹시 부끄럽다. 한마디로 염치가 없었다. 방금 감옥에서 나온 사람에게 또다시 감옥 갈 일을 부탁했으니 말이다. 돌이켜보면 내 딴엔 열심히 일한답시고 그랬던 것인데, 그러나 그것이 조영래 아우에게 어떤 고통을 가져다 주었는가? 이후 민청학련 사건으로 수배되어 7년여의 세월을 숨어 지내며 그중에 첫아들을 낳고 《전태일 평전》을 써냈으니, 나로서는 입이 열 개라도 할 말이 없다."

이때 김지하는 반유신을 위한 전국적 학생조직의 필요성을 전하면서 조영래가 사령탑을 맡아 줄 것을 권했다고 한다. 자신은 자금을 돕겠다고 했다. 감옥에서 갓 나온 조영래는 김지하의 제안을 받아들였다. 유신 독재정권을 무너뜨리는 일에 주저할 수는 없었다. 조영래는 학생운동과 긴밀하게 연결되어 일을 진행했고 자신은 자금을 마련하기 위해 동분서주했다. 냉철한 운동가인 그는 자금이 중요함을 잘 알고 있었다. 급기야 그는 자금을 마련하기 위해 친구인 송철원과 함께 영어책을 쓰기도 했다. 뛰어난 영어 실력을 갖추고 있던 그는 두어 달 만에《객관식 영어 연습》이라는 일종의 영어 학습서를 쓴다. 송철원·조영래 공저로 된 이 책은 아이러니하게도 조영래가 살아생전에 자기 이름을 달고 낸 유일한 책이 되었다. 그리고 영어 학습서로 대단한 인기를 끌어 베스트셀러 목록에 오르기도 했다고 한다. 하지만 인세 지급이 늦어져 민청학련 자금으로 쓰이지는 못했다.

어쨌든 교도소에서 갓 출소한 조영래는 학생 신분도 아니었고 이미 노출된 상태로 수사기관으로부터 주목받는 입장이라 민청학련의 중심에서 활동하기는 어려운 처지였다. 김지하가 어느 날, 민청학련 자금으로 조영래에게 120만 원을 건넸다. 당시에는 제법 많은 돈으로 지금의 가치로 따지면 4~5000만 원쯤 되는 돈이었다. 원주의 지학순 주교가 마련해 준 돈이었다. 김지하에 따르면 "지 주교에게는 돈이 누구에게 간다고 말하지 않았고, 조영래에게 건넬 때도 누구로부터 받은 돈이라는 말을 하지 않았다"고 한다.

해가 바뀌어 1974년 1월 8일 박정희는 긴급조치 1호와 2호를 발동했다. 긴급조치 1호의 주요 내용은 유신 헌법을 부정, 반대, 왜곡 또는 비방하는 모든 행위와 유신 헌법의 개정 또는 폐지를 주장, 발의, 제안, 또는 청원하는 모든 행위를 금한다는 것이었다. 긴급조치로 금지한 행위를 방송, 보도, 출판 기타 방법으로 이를 타인에게 알리는 언동 역시 금지되었다. 이 조치를 위반한 자와 이 조치를 비방한 자는 법관의 영장 없이 체포, 구속, 압수, 수색하여 비상 군법회의에서 15년 이하의 징역에 처할 수 있도록 했다. 박정희의 집권 18년 중 절반 이상인 120개월가량이 계엄령, 위수령, 비상사태 또는 긴급조치였다. 유신 시대는 1973년의 몇 달과 1974년 육영수가 사망한 후 이듬해 긴급조치 9호가 발동될 때까지의 몇 달 만을 제하곤 쭉 긴급조치의 억압과 공포가 지속된 시기였다.

이틀 후 민청학련 사건에서 중요한 한 모임이 열린다. 서울대생 유인태의 집이었다. 당시 총책 격으로 사형선고를 받은 이철의 회고다.

"1974년 1월 초 유인태 집에서 회합을 가졌다. 후일 중앙정보부가 '민청학련 결성일'이라 억지 지칭한 1월 10일 모임이다. 지방까지 포함해 10명에 가까운 숫자가 모였다. 구체적인 준비와 역할 분담은 3월 6일 다시 유인태 집 모임에서였다. 여기서 결정된 사항은 ① 투쟁의 기획, 연락은 서울에서 맡는다 ② 이철이 행동 총책을 맡는다 ③ 명칭은 사용하지 않는다 ④ 유인물은 서울에서 일괄 작성, 공급한다 ⑤ 대학별 예비 시위를 조직하여 4월 초 일제히 거사한다 등이었다. 화염병을 쓰자는 문제가 거론

됐으나 대부분이 반대 의사를 표명한 것으로 기억된다."

이때만 해도 따로 단체 명칭을 사용하지 않기로 하지만 나중에 여러 이름이 거론되다 결국 '전국민주청년학생총연맹'으로 결정되었다. '청년'을 붙인 것은 대학생들에 한정되지 않고 전 계층적인 투쟁이 돼야 한다는 데 공감대가 형성되었기 때문이다. 조영래는 지학순 주교로부터 온 돈과 자신이 구한 돈을 더해 서중석 등에게 전달하였고, 이는 곧 민청학련의 자금이 되었다. 기독교 쪽에서도 자금이 들어왔지만 규모는 작았다. 자금을 댄다는 것은 일단 사건의 주모자급으로 분류되는 것을 뜻했다. 감옥에서 나오자마자 조영래는 칼날같이 위험한 길을 걷고 있었다. 조영래는 지학순 주교가 마련해 준 돈을 김지하로부터 받아서 서중석과 나병식에게 민청학련 활동자금으로 전달했다는 것이 혐의 내용이었지만, 그는 민청학련 사건의 배후에서 알려진 것보다 훨씬 더 크고 많은 활약을 했다.

학생들은 분주히 움직이고 있었다. 서울대의 경우 이제까지 학생운동이 별로 활발하지 못했던 의대와 공대에서도 학생들이 적극적으로 나섰고, 이화여대, 숙명여대, 서울여대 등 여자대학에까지 시위가 확산되고 있었다. 학생운동 핵심그룹은 내심 제2의 4·19를 꿈꾸고 있었다. 특히 학생운동 내에는 1969년 3선 개헌 반대 운동 당시 강제로 군대에 징집되었던 학생들이 복학

한 데 이어 1971년 교련 반대 데모 당시 징집되었던 학생들도 속속 복학하기 시작했다. 전국 각 대학에서 강제징집 된 학생들은 같은 시기, 같은 훈련소에서 훈련을 받아 자연스럽게 서로 교분을 쌓게 되었다. 학생운동을 탄압하기 위한 강제징집이 학생운동의 전국적 조직화와 연대에 크게 이바지하게 된 것이다.

학생들의 준비는 치밀한 것 같았지만 실제로 뚜껑을 열어 보니 참여가 저조했다. 3월 21일 첫 봉화라 할 수 있는 경북대 시위가 일어났으나 200여 명이 참여하는 데 그쳤고 그나마 공권력의 강력한 대응으로 사실상 실패로 끝났다. 서울에서는 3월 28일 서강대, 4월 1일 연세대에서 있었으나 서강대 역시 300여 명이 구내식당에서 대정부 결의문을 낭독하는 정도로 그쳤고 연세대는 채플 시간에 시국선언문을 낭독하다 주동 학생들이 연행되면서 역시 불발로 그치고 말았다.

이대로 끝낼 것인가, 계속할 것인가의 갈림길에서 2선으로 빠져 장기전에 대비하려던 서중석이 잠깐 들른 고향 집에서 연행되는 사태가 벌어졌다. 관련 인물들이 하나둘씩 잡혀가고 있다는 소식이 속속 전해졌다. 정보가 이미 새 나간 것이었고 나중에 알려졌지만 내부에 첩자가 여럿 있었다.

승부는 이미 끝났다는 것을 학생 지도부는 알고 있었다. 그러나 내친걸음이었다. 싸우는 길 외에 다른 선택이 없었다. 4월

3일, 계획대로 각 대학 학생들이 교문을 박차고 거리로 쏟아져 나왔다. 하지만 시위는 산발적이었고 준비한 것보다 턱없이 모자란 수준이었다. 그러나 박정희 정권에는 그것으로 충분했다. 그날 밤 긴급조치 4호가 선포되었다.

긴급조치 4호의 내용은 1호는 아무것도 아닐 정도로 무시무시했다. 4호의 주요 내용은 '전국민주청년학생총연맹과 이에 관련되는 제 단체를 조직하거나 또는 이에 가입하거나, 그 구성원과 회합, 또는 통신 기타 방법으로 연락하거나, 그 구성원의 잠복, 회합, 연락 그 밖의 활동을 위하여 장소·물건·금품 기타의 편의를 제공하거나, 기타 방법으로 단체나 구성원의 활동에 직접 또는 간접으로 관여하는 일체의 행위를 금한다'는 것이고 이 조치를 위반하거나 비방한 자는 '사형, 무기 또는 5년 이하의 유기징역에 처한다'는 것이었다. 유신정권은 4월 3일 밤 긴급조치 4호를 발동하면서 '민청학련이 북한 공산집단의 이른바 인민혁명을 수행키 위한 통일전선의 초기 단계적인 지하조직으로 이 단체가 반국가적 불순 세력의 배후 조종 아래 우리 정부를 전복하려는 국가변란의 음모를 꾸며 학원 일각에 침투하기 시작했다'고 밝혔다. 수사도 하기 전에 반국가적 불순 세력의 배후 조종 아래 인민혁명을 수행하려 한다는 결론을 내린 것이다. 이후의 수사는 당연히 이 결론을 뒷받침하는 방향으로 진행되었다.

그리고 이후, 박정희 정권 최고의 탄압과 민주인사 학살극이 펼쳐진다. 학생들의 시위를 '북한과 연계된 폭력혁명'으로 몰아간 것이다. 그들이 발표한 조직도에서 조영래는 주모자급으로 발표되었다.

주동자들은 모두 현상 수배됐는데 현상금이 1인당 300만 원까지 뛰었다. 간첩 현상금이 30만 원인 시절이었다. 이들에게 붙여진 죄목은 대통령 긴급조치 4호 위반 외에도 국가보안법 및 반공법 위반, 내란예비음모, 내란 선동 등 이름만 들어도 무시무시한 것들이었다.

관련자들이 속속 체포되고 현상 수배된 조영래는 잠적했다. 이때부터 박정희가 부하의 총탄에 세상을 뜰 때까지 6년여의 기나긴 잠행이 시작되었다.

민청학련과 관련돼 구속된 인원은 무려 1024명이었다. 재판은 발언 저지, 경고, 휴정, 퇴정 명령, 항의 소동으로 뒤범벅이 됐다. 평범한 서른일곱 살 변호사에서 민청학련 사건을 맡으면서 인권변호사로 거듭난 홍성우 변호사는 당시 재판을 이렇게 기억했다.

"그때 민청학련 사건이 어마어마하게 무시무시한 사건이었습니다. 긴급조치 4호라는 게 민청학련 한 사건만을 대상으로 한 것입니다. …… 세상에! 특정 사건을 두고 법률을 만들어 낸 겁니다. 이러이러한 단체가 민청학련이고, 여기 수괴가 누구인데 이게 반국가 단체다, 이걸 민간법원도 아니고 국법 회의에서 관할하고 처단한다는 그런 내용이 들어 있어요. 분위기가 무시무시했어요. 우리가 자진해서 나서기는 했지만 우리도 사실은 겁났어요. 다만 누군가 꼭 맡아야 할 사건인데, 내가 안 맡는다고 하면 비겁한 놈이 될 거 같고, 또 그들을 도와준다는 게 얼마나 의미 있는 일이냐, 이거야말로 우리 민주주의의 한 귀퉁이에서라도 내가 기여해야 할 일이다, 이런 생각을 하면서 마음을 다잡았어요."

한 달 만에 심리를 끝낸 재판은 7월 9일 결심에 이르렀다. 검사는 이철, 유인태 등 학생운동 주동자와 김지하 등에게 사형을 구형했다. 7월 13일 1심 선고재판 결과는 사형 7명, 무기징역 7명, 징역 20년 12명, 징역 15년 6명이라는 가히 천문학적 형량이었다. 무기와 사형을 제외하고 선고된 형량만을 합쳐도 300년이 넘었다.

그해 8월 대통령 부인 육영수가 문세광의 총에 맞아 숨지면서 긴장감은 더욱 높아졌다. 박정희 정권은 자신을 반대하는 모든 세력을 압살하기 위해 무서운 음모를 꾸미고 있었다. 자금의 배후가 누구인가가 가장 중요한 조작 근거였다. 가장 큰 덩어리는 조영래를 통해 조달된 120만 원이었다. 그들은 그 돈이 폭력혁명을 획책하는 불순 세력, 다시 말해 북한에서 왔다는 시나리오를 짰고, 만약 그 덫에 걸려들면 도저히 빠져나올 수 없는 일이었다. 원주캠프가 바쁘게 움직였고 결국 돈을 마련해 준 지학순 주교가 양심선언을 하기에 이르렀다. 아무리 조작의 명수라 해도 교황이 임명한 가톨릭 주교를 공산주의자로 몰아갈 수는 없었다.

결국 그들은 존재하지도 않았던 '인민혁명당'이 학생들의 배후였다는 조작을 감행하였고 1975년 4월, 민청학련의 배후로 지목된 인혁당 관련자 8명에 대한 사형이 전격 집행되었다. '4월의 학살'이었다.

양심선언문

어느 시대나 그 시대를 상징하는 인물이 있고, 그 행적은 시대와 더불어 지워지지 않는다. 이후 행적이 어떠한가와 상관없이 민청학련 사건에서 김지하는 그 당시 최고 양심이자 가장 날 선 정신이었다. 사형에서 무기로 감형된 김지하는 이듬해 2월 형 집행 정지로 출감하였다. 그는 불과 한 달 만에 다시 반공법 위반으로 구속되어 6년을 더 감옥에 있게 되는데, 다시 구속되었던 이유가 바로 《동아일보》에 1975년 2월 25일부터 27일까지 3회에 걸쳐 연재한 글 때문이었다.

〈고행…1974〉라는 제목의 글은 시와 산문이 섞인 옥중수기였는데, 글에서 민청학련 관련자들이 당한 처절한 고문과 인혁당 사건 조작 등을 낱낱이 폭로했다.

25일 자 신문 1면에는 김지하 시 중 최고 절창이라 할 〈불귀不歸〉가 실려 있다.

못 돌아가리
한번 딛어 여기 잠들면
육신 깊이 내린 잠
저 잠의 저 하얀 방 저 밑 모를 어지러움

못 돌아가리
일어섰다도
벽 위의 붉은 피 옛 비명들처럼
소스라쳐 소스라쳐 일어섰다도 한번
잠들고 나면 끝끝내
아아 거친 길
나그네로 두 번 다시는

굽 높은 발자국 소리 밤새워
천장 위를 거니는 곳
보이지 않는 얼굴들 손들 몸짓들
소리쳐 웃어대는 저 방
저 하얀 방 저 밑 모를 어지러움

뽑혀 나가는 손톱의 아픔으로 눈을 홉뜨고

찢어지는 살덩이로나 외쳐 행여는
여윈 넋 홀로 살아
길 위에 설까

덧없이
덧없이 스러져간 벗들
잠들어 수치에 덮여 잠들어서 덧없이
한때는 미소 짓던
한때는 울부짖던
좋았던 벗들

아아 못 돌아가리 못 돌아가리
저 방에 잠이 들면
시퍼렇게 시퍼렇게
미쳐 몸부림치지 않으면 다시는
바람 부는 거친 길
내 형제와
나그네로 두 번 다시는.[12]

김지하는 이어서 인혁당 사건으로 사형당한 하재완과 이수병을 직접 만난 이야기를 쓴다.

　재빛 하늘 나직이 비 뿌리는 어느 날, 누군가 가래 끓는 목소리로 내 이름을 부르더군요. 나는 뺑끼통(감방 속의 변소)으로 들어가 창에 붙어 서서 나를 부르는 사람이 누구냐고 큰 소리로 물었죠. 목소리는 대답하더군요. '하재완입니더.' '하재완이 누굽니까' 하고 나는 물었죠. '인혁당입니더' 하고 목소리는 대답하더군요. '아항, 그래요!' 사상 15방에 있던 나와 사하 17방에 있던 하재완 씨 사이의 '통방'(재소자들이 창을 통해서 서로 큰 소리로 교도관 몰래 대화하는 짓)이 시작되었죠. '인혁당 그것 진짜입니까?' 하고 나는 물었죠. '물론 가짜입니더' 하고 하 씨는 대답하더군요. '그런데 왜 거기 갇혀 계시오?' 하고 나는 물었죠. '고문 때문이지러' 하고 하 씨는 대답하더군요. '고문 많이 당했습니까?' 하고 나는 물었죠. '말 마이소! 창자가 다 빠져나와 버리고 부서져 버리고 엉망진창입니더' 하고 하 씨는 대답하더군요. '저런 쯧쯧' 하고 내가 혀를 차는데 '즈그들도 나보고 정치 문제니께로 쬐끔만 참아달라고 합디더.'[13]

　김지하의 글은 박정희 정권의 치부를 그대로 드러내는 고발

임과 동시에 그들과 싸우는 민주화 운동 세력의 도덕적 우위를 여지없이 증명하는 글이었다. 그들은 이성을 잃었다. 김지하를 다시 잡아들였고 불과 20일 후에 인혁당 여덟 명을 사형시켰다.

온 국민을 공포 속으로 몰아넣어 재갈을 채우려는 그들에게 또 하나의 목숨이 맞섰다. 1975년 4월 12일, 유신의 어두운 손길에 여덟 명이 억울한 죽임을 당하고 사흘 후, 서울대학교 농대에서 시국 성토대회가 열렸다. 세 번째 연사로 단상에 오른 사람은 축산과의 김상진이었다. 그는 준비한 선언문을 읽어 가다가 갑자기 칼을 꺼내 들었다.

"유신을 철폐하라! 학우여, 민주주의는 투쟁의 산물이다! 민주주의를 위해 싸우자!"

피 끓는 절규를 토해낸 김상진은 칼로 자신의 왼쪽 배를 찔렀다. 김상진은 다음 날 숨을 거두었다. 그의 시신은 유신 정권에 의해 장례식도 없이 강제로 화장되었다. 김상진은 민주주의를 외치며 자결한 최초의 대학생이었다. 김상진의 자결로 다시 대학가가 들끓었고 또 검거 선풍이 일었다.

그 와중에 시작된 김지하의 재판은 당시 재야운동권의 명운이 걸린 대사건이었다. 김지하에 대한 죄명은 반공법과 국가보안법 위반이었고 이는 곧 목숨이 걸린 일이었다. 만일 인혁당 인사들처럼 조작된 공산주의자라는 누명을 쓰고 사형을 당한다면 민주화 운동은 전체가 용공으로 몰릴 게 뻔했다. 김지하를 살리는 일이 전체 민주화 운동을 지키는 매우 급한 과제가 되었다. 광범위한 구명 활동이 시작되지만 기어이 누명을 씌워 죽이려는 자들은 완강했다. 특단의 조치가 필요했다.

그래서 나온 아이디어가 양심선언이었다. 감옥에 있는 김지하가 본래 대 문장가이니, 그에게 양심선언문을 쓰게 하여 그것으로 세계적인 여론에 호소하자는 전략이었다. 아무리 무도한 박정희 정권이라도 세계 여론을 무시할 수는 없을 거라는 판단이었다. 인혁당 관련자들을 재판 직후 사형 시켜 국제 여론이 들끓던 때였으므로, 이미 시인으로 널리 알려진 김지하를 구명하기에 양심선언만 한 것이 없었다. 그리고 우여곡절을 거친 끝에 양심선언이 완성되었다. 과연 대단한 명문이었다. 그리고 수십 년이 흐른 후, 세계의 양심을 흔들고 대학생들 사이에 '김지하 양심선언문 읽기' 운동을 퍼뜨린 그 선언문을 쓴 사람은 조영래로 밝혀졌다.

조영래가 세상을 떠난 후, 김지하는 신문에 〈20년 만의 참회, 그리고…〉라는 글을 실어 그 사실을 밝혔다.

"…… 전 국민과 전 세계가 다 아는 그 '양심선언'은 명백히 내가 쓴 것이 아니다. 고 조영래 변호사가 쓴 것이다. 감옥 안에서 어떻게 그 긴 문장을 쓸 수 있었겠는가? 나를 살리기 위한 벗들의 뜨거운 우정이었지만 그 뒤 적절한 시기가 되었는데도 사실대로 밝히지 않고 내가 쓴 것으로 계속 주장해 온 나의 위선은 명성을 도적질한 명백한 기만이다……."[14]

실제로 김지하의 〈양심선언〉은 조영래의 육성이고 그의 생각이 그대로 담긴 글이다. 문학적, 사회적으로 여러 편의 논문으로 조명되기에 충분한 글이며 에밀 졸라의 저 유명한 〈나는 고발한다〉에 버금가는 명문이다. 상황이 얼마나 절박했는지 조영래는 마치 '사생결단'하듯이 이 글을 썼다고 한다. 이 글 하나에 민주화 운동의 명운이 달려있다고 생각했으니, 조영래의 집중력이 얼마나 발휘되었을지는 능히 짐작할 수 있는 일이다. 당시 변호사였던 홍성우는 〈양심선언〉을 읽었던 당시를 이렇게 떠올렸다. 물론 글쓴이가 조영래인 줄은 그 누구도 알지 못했다.

"한마디로 한 시대의 기념비적 명문이라 생각한다. 피고인의 절박한 사정이 절절히 들어 있고 거기다 해박한 지식과 감동을 자아내는 이끌림을 갖고 있다. 언제 읽어도 가슴이 뛰게 하는……. 그걸로 싸움은 일단 승부가 난 거나 마찬가지다 할 정도로 아주 쾌거였다. 선언문은 급속히 퍼지기 시작했다."

이 빼어난 글은 이렇게 시작한다.

정의와 진리를 사랑하는 모든 이들에게 이 글을 보낸다.

참으로 어처구니없는 모략이 지금 나에게 들씌워지고 있다. 박 정권의 억압자들은 나를 가톨릭에 침투한 마르크스·레닌주의자로, 민주주의자로 위장한 공산주의 음모가로 몰아 투옥하였다. 이제 곧 나를 교활 음험한 공산주의자로 영원히, 그리고 합법적으로 낙인찍기 위한 재판 놀음이 벌어질 것이며, 그 결과 나는 이 땅에 만들어진 그 숱한 관제 공산주의자의 대열에 끼게 될 것이다.

분명히 말해 두거니와 이것은 나 개인에 대한 모략만이 아니라 우리들의 민주회복 운동 전체와 사회 정의 구현을 위해 투쟁하는 신·구교에 대한 중상모략 소동의 일환이며 특히 천주교 정의구현전국사제단의 활동과 민주회복국민회의 및 일체의 청년 학생 운동을 용공으로 몰아 압살하려는 대탄압의 예비 작업인 것이다.

현재의 내 솔직한 심정으로는 내 자신에게 지난 4년 이래 가해지고 있는 박정권의 이 더러운 상투적 모략에 대하여 한마디 변명도 하고 싶지 아니하며 또 이번 사건에 관한 최소한의 진실도 정보부원들의 "일체의 주장과 변명은 법정에서"라는 말대로 법정에서 밝히려 하였다.

그러나 사건이 나 자신의 근본적인 사상과 사회적 근거를 왜곡, 파괴하고 나아가 민주 역량 전체와 내 소속 교회, 그리고 후배 학생들에 대한 막대한 피해로 확대될 수 있는 이 시점에서 양심에 따라 나의 사상과 진실을 명백히 밝히는 것이 역사와 민중에 대한 나의 의무라고 생각한다.[15]

선언은 원고지 80매가 넘는 긴 분량이다. 모두가 김지하가 직접 쓴 것으로 알았을 정도로 곳곳에 김지하의 체취가 풍기지만, 이는 조영래가 얼마나 김지하라는 인물에 깊이 천착했는지 보여 주는 것이다.

신비로운 일이다. 《전태일 평전》의 문체에는 전태일의 일기가 기본으로, 김지하의 〈양심선언〉은 김지하의 육성과도 같은 문체가 스며들어 있다. 이는 단순히 조영래가 일급의 작가라서가 아니다. 상대의 이야기를 귀 기울여 듣고, 타인의 아픔에 깊이 공감하는 그가 절실하게 매달린 인물들과 거의 구별하기 어려울 만큼 닮아간다는 것은 어쩌면 자연스러운 일일지도 모른다.

〈양심선언〉을 꼼꼼히 읽어 보면 김지하가 쓴 글이 아니라는 것을 알 수 있다. 그것은 기본적으로 변호사가 사건에 관해 쓰는 변론의 성격을 띠고 있기 때문이다. 나중에 숱하게 보게 되는, 조영래 특유의 인간적인 감정과 호소력 짙은 그 변론이다.

그래서 〈양심선언〉은 조영래가 가진 생각을 가장 잘 보여 주는 글이기도 하다. 전문을 읽는 것이 가장 좋지만, 우선 그의 사상과 신념이 어떤 것이었는지 알 수 있는 대목을 뽑아서 보자.

　나는 이웃인 인간을, 억압받고 수탈되어 고통과 모멸 속에서 인간적으로 모든 것을 박탈당하고 있는 구체적인 인간들을 온몸으로 뜨겁게 실천적으로 사랑하는 사람이 되기를 원한다. 이것이 스스로 설정한 나의 인간적인 과제의 전부이다. 이것이 나의 모든 사상적인 모색의 출발점이고 귀착점이다. 따라서 나의 사상적인 모색의 전 과정은 인간에 대한 사랑이라는 관점에서 해석되기를 나는 바란다.
　형제들을 사랑하기 위하여 나는 그들을 비인간화하고 있는 따위의 모든 억압과 수탈을 증오한다. 그것은 억압받는 자만이 아니라 억압하는 자까지도 철저하게 비인간화하는 것이다. 그러므로 억압과 수탈을 반대하여 싸우는 것, 그것이 나의 사상적·실천적 관심의 전부이다. 내가 가톨릭에 입교하게 된 것은 가톨릭이 정신적 질곡과 물질적 질곡의 동시적 극복, 억압자와 피억압자의 동시적 구원을 통한 억압 그 자체의 절멸이라는 사상을 보편적 정신으로 제시하였기 때문이다. 그 신앙은 구체적이고 서로 모순되고 충돌하는 다양한 사상 이론, 판단 등을 섭취 용해하여 보편적인 진리로서의 어떤 것을 제시하여 주기 때문이다. 내가 박 정권과 오적에 반대하여 싸워 온 것은 그들이야말로 우리 사회에 있어서의 억압과 수탈의 범인이기 때문이다.

나의 사상은 민중에 대한 사랑과 동시에 그들에 대한 신뢰 가운데에서 싹텄다. 나 자신이 그 일원으로서 억압받는 민중들 가운데에서 자라나면서, 나는 억압자들이 사회에 강요해 온 민중에 대한 모든 선입관, 즉 비천, 추악, 도덕적인 타락, 천성적인 게으름, 비열한 성품, 무지, 무기력 등의 일종의 열등, 인종적 비하가 실은 아무런 근거가 없는 짓이며 오히려 억압자들 자신에게 돌려져야 할 성질의 것임을 확인하였다. 내가 체험한 민중들의 모습은 정직·근면하고, 어리석은 것 같으나 하늘의 지혜로 풍성하고 힘없고 무기력한 것 같으나 실은 위대한 힘과 강인한 의지를 갖추고, 거칠면서도 이웃에 대한 인간다운 짙은 애정을 가진 떳떳하며 싱싱한 모습이었다. 민중을 신뢰하므로 나는 이들이 스스로의 운명의 열쇠를 가질 때 모든 문제가 올바른 해결로 이끌어질 것이라는 확신과 동시에 그러한 위대한 민중의 날이 반드시 오고야 말리라는 움직일 수 없는 신념을 갖게 되었다. 이러한 확신은 나를 민주주의의 철저한 신봉자로 만드는 동력이 되었다.[16]

한 사람의 내면 고백이자 인간에 대한 절절한 사랑과 사회변화에 대한 열망이 문장마다 숨 쉰다. 김지하의 목숨과 함께 박정희 정권에 맞선 민주화 운동 진영 전체를 위험에서 건진 이〈양심선언〉은 잊을 수 없는 장엄함으로 끝을 맺는다.

우리는 무엇 때문에 싸워 왔는가? 인간을 위하여서이다. 자유롭고 해방된 인간, 신이 창조한 본래의 모습으로 회복하기 위하여서이다. 우리의 이 과제는 그 무엇보다도 우선하는 것이며, 잠시도 늦출 수도 멈출 수도 없는 것이다.

부패와 특권, 독재야말로 적화赤化에의 황금교黃金橋이다. 독재와 억압을 유지시키는 것은 안보가 아니다. 독재와 억압을 물리치고 자유와 민주주의를 지키는 일이 참다운 안보임을 직시하자. 자유와 민주주의를 잃고 나면 우리는 도대체 무엇을 지킬 것인가?

저 지루한 기아와 질병, 암흑과 모멸의 끝없는 굴레를 지키기 위하여 우리는 목숨을 걸어야 할 것인가? "아니다"라고 우리는 다 같이 말하자.

자유와 평화를 사랑하는 전 세계의 양심 있는 이웃들은 우리의 외롭고 고난에 찬 투쟁에 아낌없는 지원을 보낼 것이다. 이 시대에 가장 필요한 것은 진실, 그리고 그것을 사랑하기 때문에 당해야 하는 수난에 대한 정열이다. 인간의 자유와 해방을 위하여 온 민중이 애타게 기다리는 민주주의의 승리를 위하여 우리는 모든 것을 던지자고 말하고 싶다.
……

이 고통만이 나를 적 앞에서 각성케 하고 잠들게 하지 않는다. 지금 내 마음은 물처럼 맑다. 다만 이 글이 나가 발표될 때에 연관될 선의의 사람들에게 가해질 그 쓰라린 피해만이 걱정이다. 벗들, 부디 그들의 고통에 관심을 기울여 달라! 나를 슬픈 눈으로 보지 말아다오. 우리는 곧 만나게 될 것이다.[17]

〈양심선언〉은 조영래에 의해 일본어와 영어로 번역되어 우여곡절 끝에 국외로 나갔다. 마침내 8월 4일, 일본 도쿄에서 '가톨릭 정의와 평화협의회'의 일본인 주교가 이를 발표했다. 국내는 물론이고 세계 각지에서 김지하를 구출하기 위한 운동이 광범위하게 벌어졌다. 그의 신앙과 사상을 보증하기 위한 성명서에 15개 국가의 신학자 200여 명이 서명했고 독일의 빌리 브란트를 비롯한 저명한 정치인과 석학들이 지지와 지원을 표명했다. 조영래가 의도한대로 세계적인 여론이 일어난 것이었다. 그리고 박정희 정권으로부터 김지하의 목숨을 구했다.

조영래가 이 무렵에 쓴 선언문 중에 잘 알려지지 않은 것이
바로 〈원주선언〉이다. 1975년 5월 13일 긴급조치 9호가 발동되
면서 사회는 짙은 어둠 속으로 가라앉아 버렸다. 이 악법은 유
신 헌법에 대하여 일체의 부정, 반대, 왜곡, 비방, 개정 및 폐기
를 주장하거나, 청원이나 선전하는 행위조차 일절 금지하고, 학
생의 사전 허가 없는 집회와 시위 및 정치 관여를 금지하는 내
용으로 되어 있다. 한마디로 유신 헌법에 대해 입도 뻥끗해서는
안 된다는 무시무시한 법이었다.

이러한 무소불위의 긴급조치 9호는 4년 6개월 동안 1000명
이상의 전과자를 양산하면서 국민의 기본권을 억압하였다. 유
신 선포 후 일련의 유신 반대 투쟁이 전개되었지만, 긴급조치 9
호 발표 이후 민주화 운동은 침체기에 들어가게 되었다. 바로
이 어둠을 깨고 맨 먼저 터져 나온 것이 '원주선언'이었다. 당시
의 시대 상황이나 그 내용에 있어서 이 선언은 매우 중요한 의
미를 지녔다. 유신 시대에 나온 여러 문건 중에서도 가장 잘 정
리된, 유신 시대의 대표적인 반유신 선언이었던 것이다.

이미 반유신 운동의 거점이 된 원주, 그 중에서도 한 가운데
있던 원주교구 원동 성당에서는 매년 신·구 교회의 일치주간을
두고 있었다. 일치주간에는 가톨릭과 개신교가 합동으로 기도
회를 가졌는데, 1976년 1월 23일 '인권과 민주회복을 위한 기도

회'에서 바로 이 선언문이 발표되었다. 이 역사적인 선언문은 애초에 제목이 없이 발표되었지만 훗날 '원주선언'이라는 이름을 얻게 된다.

원고지 스물세 장 분량의 〈원주선언〉은 당시 반유신 투쟁에 몸담았던 사람들의 생각과 자세를 가장 잘 표현한 글이라는 평가를 받았고 참석한 신부와 목사가 저마다 사본 하나씩을 가지고 갔다. 그리고 이 글은 문익환 목사가 손을 보고 한 달여 뒤 명동성당에서 저 유명한 〈3·1 민주구국선언〉으로 변신한다. 가톨릭과 기독교가 반유신 투쟁 선두에 섬으로써 박정희 정권은 서서히 몰락의 길로 가고 있었다. 바로 그 정권의 발밑을 허무는 곳곳에 조영래가 보이지 않게 있었다. 조영래는 원주그룹과 긴밀하게 연결되어 있었는데, 1970년대 민주화 운동의 지도부는 실상 원주그룹이었다고 해도 과언이 아닐 정도였다. 수많은 선언문이 원주에서 서울로 들어왔고 각계를 이어 주는 끈도 원주에서 풀려나왔다. 지학순과 장일순이 대표하는 원주그룹이 움직이는 방식이 조영래의 그것과 닮아 있었다. 드러내지 않고 일하되 언제나 자신은 낮추는 자세, 단순하지만 가장 높은 도덕률이었다.

조영래는 장일순을 깊이 존경했다. 원주를 떠나지 않은 은둔자이면서 '안 하는 일 없으셨던' 그의 삶에 감명을 받았던 것이다. 장일순 역시 조영래를 특별하게 여겼다.

"저 이는 앞을 내다보는 능력이 있어."

장일순이 생전에 조영래를 두고 한 말이었다.

훗날 조영래가 요절하자 서예가이기도 했던 장일순이 묘비명을 썼다. 그 어떤 말도 없이 '조영래지묘趙英來之墓'라고 해서체로 쓴 다섯 자의 비문을 보노라면 두 사람이 얼마나 그윽하게 교류했는지 가슴으로 전해져 온다.

불꽃이여
나를
둘러싸라

〈양심선언〉과 〈원주선언〉을 쓰고 난 후, 조영래는 본격적으로 전태일에 매달렸다. 장기표가 정리해 놓은 세 권의 노트만으로는 부족했다. 우선 전태일이 남긴 일기 원본들을 보아야 했다. 그리고 어머니 이소선과 전태일의 동료들도 만나야 했다. 수배자와 늘 형사가 따라 다니는 이소선과의 만남은 위험한 곡예와도 같았다.

전태일의 일기를 전해 주던 날, 이소선은 담당형사가 오기 전 새벽에 쌍문동 집을 나섰다. 택시를 타고 가다가 중간에 내려 버스로 갈아타고, 또 탄 버스에서 내려 다시 다른 버스를 갈아 타고 조영래가 사는 홍제동까지 갔다. 일기장은 선물처럼 보이게 예쁜 보자기에 쌌다. 당시에는 수배자를 숨겨 주기만 해도 처벌을 받았기 때문에, 조영래는 양가에 위험이 미칠 것을 우려해, 양가 부모님의 동의를 받고 이옥경과 동거에 들어갔다. 두 사람은 어느 집 옥상의 옥탑방에 살고 있었다.

이소선은 1975년 여름에 집중적으로 홍제동으로 와서 이야기를 했다. 전태일이 살아 온 이야기를 들려주면 조영래는 받아적으며 때로 질문을 던지는 식이었다. 그러다 보면 해는 점점 높아지고 더위도 맹렬해진다. 더워지면 걸쳤던 옷을 하나씩 벗어던지며 두 사람은 작업에 몰두한다. 더위에 지친 이들을 위해 옆에서 지켜보던 이옥경은 냉수나 주스를 갖다 주지만 마실 때뿐이었다. 그러다 한낮이 되어 참을 수 없을 정도가 되면 근처 유진상가 다방으로 자리를 옮기곤 했다.

두 사람 다 담배를 즐겼기 때문에 다방은 더없이 좋은 장소였지만 문제는 그들을 잡고자 혈안이 된 형사들을 피해야 한다는 것이었다. 이옥경이 다방 입구에 앉아 주변을 살피고 두 사람은 구석에 앉아 구술 작업을 계속했다. 그런 작업이 여름 내내 이어졌다.

평전 집필을 위해 어린 여공들의 생활을 알고 싶어 하던 그에게, 이소선은 어릴 때부터 평화시장에서 일해 온 한 여공을 소개했다. 그리고 여공의 이야기는 《전태일 평전》에 고스란히 실리게 된다. 조영래가 만난 그 여공의 이름은 신순애였다. 그녀는 초등학교를 중퇴하고 열세 살 때부터 평화시장에서 일한, 전태일이 그토록 가슴 아파하던 어린 여공이었다.

"평화시장에 대해서 쓸 거라고, 그래서 부담 없이 이야기하기 시작했어요. 그런데 만나면서 제 얘기만이 아니라, 우리가 책을 쓰기 위한 목적이 아니라 함께 공부하자고. 저는 그 말에 믿음도 가고 실제로 공부하고 싶었고. 그 부분이 신뢰가 갔기 때문에, 공부하는 걸로 만났어요. 처음에 만나면 신문 펴 놓고 스터디했어요. 그래서 저는 그분한테 '아, 이렇게 공부하면 되겠구나.' 하는 것을 배웠거든요."

조영래에게 공부하는 법을 배운 신순애는 세 번의 검정고시를 통과하고 50이 넘은 나이에 성공회대학교에 입학해 정치경제학을 공부했고, 자기 체험을 기반으로 〈1970년대 민주노조 운동의 주체 형성〉이라는 논문을 써서 석사 학위를 받았다.

조영래가 신순애를 만나 이야기를 들을 당시에 그녀는 결핵을 앓고 있었다. 의료보험이 없던 시절이라 적은 월급으로 치료는커녕 엑스레이 한 번 찍을 수도 없었다. 조영래는 의사를 수소문하여 기어이 그녀의 결핵을 완치시켰다.

드디어 완성된 전태일 평전의 원고를 읽은 이소선은 감격했다. 아들이 고스란히 살아서 돌아온 것 같았다. 청계노조와 여러 사람이 완성된 원고를 보고 움직이기 시작했다. 국내에서 출판하기는 아예 불가능했으므로 일본으로 보내기로 했다. 결국 이 원고는 손학규, 김정남의 손을 거쳐 일본으로 건너가 1978년

11월에 일본어로 먼저 출판되었다. 책 제목은 '불꽃이여 나를 둘러싸라-어느 한국 노동자의 삶과 죽음'이었다. 일본어판 저자는 김영기金英琪였다. 영英은 조영래를, 기琪는 장기표를 의미하는 것이었다.

일본에서 먼저 출간된 전태일 평전이 우리나라에 나올 때까지 5년의 세월이 더 필요했다. 출판 과정도 극적이었다. 그 사이에 박정희가 죽었지만 새로 정권을 잡은 전두환 군부세력 역시 다를 게 없었다. 돌베개출판사는 모든 위험을 무릅쓰고 책을 출간하기로 결정하였고 마침내 1983년 6월 한국어판 책이 세상에 나오게 되었다. 처음에는 '어느 청년 노동자의 삶과 죽음'이라는 제목에 '전태일 평전'이라는 부제목을 붙였고 지은이는 '전태일기념관 건립위원회'였다. 아직도 저자가 누구인지는 밝힐 수 없었다. 《전태일 평전》이 출판되자마자 당국은 즉각 판매금지조치를 했지만 책은 비밀리에 날개 돋친 듯 팔려나갔다.

책이 던진 충격과 감동은 엄청난 것이었다. 전국 각 대학, 노동단체는 물론이고 지식인, 종교인, 해외에서까지 필독서가 됐다. 그리고 전태일에게 감동받은 수많은 사람이 삶의 방향을 바꿔 노동자가 되고, 노동운동, 민주화 운동에 뛰어들었다. 어떻게 살아야 할 것인지 고민하는 청년들에게 전태일은 뚜렷한 이정표가 되었던 것이다.

또 하나의
기념비

조영래는 전태일에 대해 길이 남을 세 편의 글을 썼다. 첫째는 평전이고 세 번째는 경기도 마석에 있는 전태일 묘비명이며, 또 하나의 기념비적인 글이 있으니 〈노동자의 불꽃〉이라는 제목의 시다. 순서를 바꾸어 1988년에 쓴 전태일 묘비명을 먼저 보자.

세월이 흐를수록 더욱 생생하게 되살아나는 죽음이 있어 여기 한 덩이 돌을 일으켜 세우나니 아아, 전태일. 우리 민중의 고난의 운명 속에 피로 아로새겨진 불멸의 이름이여.
1948년 8월 26일 대구의 한 가난한 노동자 가정에서 태어나 어린 시절부터 낯선 도회지의 길거리를 그늘에서 그늘로 옮겨 다니며 신문팔이, 껌팔이, 구두닦이, 리어카 뒤밀이로 허기진 밑바닥 삶을 이어오다가 평화시장의 재단사가 된

그는 거기에서 노동자의 청춘과 생명과 건강을 갉아먹는 지
옥과 같은 노동현실을 보았다. 허리도 펼 수 없는 비좁은 다
락방의 먼지 구덩이 속에서 햇빛 한번 못 본 채 하루 16시
간을 기계처럼 혹사당하는 어린 소녀들의 어두운 눈망울
앞에 절망과 분노로 몸서리치던 그는 뜻있는 재단사들을 삼
동친목회로 묶어 작업시간 단축, 건강진단 실시, 임금인상,
다락방 철폐 등 '인간 최소한의 요구'를 내세우고 싸우던 끝
에 업주들과 경찰의 폭력 앞에 저지당하자 1970년 11월 13
일 평화시장 앞길에서 '근로기준법 화형식'을 거행하며 스스
로 스스로 몸을 불살라 스물두 해의 짧은 생애를 마쳤다.

이 폭탄과 같은 죽음이 사람들의 억눌린 가슴 가슴을 뒤
흔들어 저 숨 막히는 분단과 독재의 형틀에 묶여 있던 노동
운동의 오랜 침묵을 깨뜨렸고 굴종과 패배를 모르는 그의
불타는 넋은 청계피복노조를 결성하고 이소선 어머니와 평
화시장 노동자들의 헌신적인 투쟁으로 이어졌으며 70년대
와 80년대에 걸쳐 폭압에 맞서 싸우는 모든 사람들의 무한
한 용기의 원천이 되었다. 아아, 저 스물두 해의 아픈 삶을
결단하여 가진 자들의 야만과 횡포에 온몸을 부딪쳐 간 그
의 피어린 발자취가 있었기에 오늘 이 땅에 노예의 굴레를
벗어던지고 사람답게 사는 자주 민주 평화의 새 세상을 쟁

취하려는 일천만 노동자와 사천만 민중의 우렁찬 해방의 함성이 있나니. 지나는 길손이여, 이 말없는 주검 앞에 눈물을 뿌리지 말라. 다만 기억하고 또 다짐하라. 불길 속에 휩싸이며 그가 남긴 마지막 한마디, "내 죽음을 헛되이 하지 말라."

1988년 11월 13일, 삼동친목회와 청계피복노조가 일천만 노동자의 뜻을 모아 조영래의 글과 장일순의 글씨로 새기다.[18]

노동자의 불꽃
— 아아, 전태일

저
처절한 불길을 보라
저기서 노동자의
아픔이 탄다
저기서 노동자의 오랜
억압과 죽음이 탄다
아아, 노예의 호적은 불살라지고
끝없는 망설임도 마침내 끊겨 버린

저기서

노동자의 의지가

노동자의 저항이

노동자의 자유가

불타오른다

……

하늘 땅 열리실 제 삼라만상 생겨나니

모든 생명 귀한 중에 사람이 으뜸이라

한 덩어리 지구 위에 한 핏줄 타고나니

사람 위에 사람 없고 사람 밑에 사람 없네

사람이 사람을 학대할 권리 없고

사람이 사람을 억누를 수 절대 없어

이를 두고 예로부터 자유·평등 일컬었네

땀 흘려 일하는 자 일한 몫을 거두고

뜻밖에 불행한 자 모두 도와 함께 사니

인류의 오랜 꿈인 정의·사랑 참뜻일세

……

민중의 몽둥이 경찰권력 거동 보소

노동자들 몇이 모여 수군수군했다 하면

사냥개 냄새 맡듯 정보형사 떠다니고

임금인상 요구하며 농성 한번 했다 하면
개밥에 보리알 튀듯 기동경찰 끼여드네
어느 샌가 나타나는 사복 입은 형사님네
밥 먹고 사람 패는 연습만 하였던지
유도 당수 태권도로 노동자를 후려치니
가뜩이나 중노동에 지칠 대로 지친 몸이
골수에 병이 들어 폐인이 되어가네
......

보라! 살찐 자여
보라! 착취하고 억압하는 자들이여
보라, 독재자여, 곤봉이여, 최루탄이여!
여기에 노동자의 불꽃이 탄다
너무나도 오랜 가난과 예속이
너무나도 깊은 아픔과 통곡이
위대한 분노로서 여기에 타오른다.[19]

68연 841행, 웬만한 시집 한 권 분량에 이르는 이 방대한 시는 놀랍게도 1977년에 조영래가 쓴 작품이다. 제목 그대로 전태일을 주제로 우리 사회가 안고 있는 온갖 반민주, 반노동, 반인권을 통렬하게 고발하는 시다. 전태일 평전과 마찬가지로 이 시

역시 아주 오랫동안 '작가 미상'인 채로 널리 읽혔다. 지은이가 없이 작품으로만 떠돌았어도 많은 사람이 이 시의 진가를 알아보았다.

'자유실천문인협의회 문예 운동사'를 쓴 소설가 박태순은 필자 미상의 이 장시가 '70년대 민중문학 작품의 최고 걸작 중의 하나'라고 단언하였다. 그렇다면 어떻게 이런 일이 일어났을까. 조영래는 이 작품 이전에 단 한 편의 시도 쓴 적이 없다(적어도 남아 있지 않다). 이후에도 단 한 편이 있을 뿐이다. 명백하게 아마추어인 그가 어떻게 '70년대 민중문학의 최고 걸작'을 썼단 말인가. 이것은 아무래도 미스터리로 남을 수밖에 없을 것 같다. 다만 조영래가 뛰어난 문학적 감수성을 가지고 있었고, 거기에 전태일과 둘이 아닌 하나였기에 가능하지 않았을까 짐작할 뿐이다.

6년의 세월은 길고 길었다. 도무지 끝이 보이지 않는 터널에 갇힌 기분이었다. 감시와 수사망을 피해 도피 생활을 한다는 것은 엄청난 긴장을 요구한다. 조영래는 무려 6년이었다. 이옥경과의 사이에 태어난 아들 일평이 걸음마를 지나 뛰어다니고 있었다. 조영래는 이름을 감추고 역사에 길이 남을 작업을 해냈지만 긴 도피 생활은 끔찍했다. 박정희 정권이 끝나지 않으면 10년이고 20년이고 수배자로 살아야 한다고 생각하면 암담하기 그지 없었다. 실제로 그는 일본으로 밀항하여 해외에서 반유신 투쟁을 해야 할지에 대해 진지하게 고민하기도 했다.

조영래는 수배 기간에 보일러 기능사나, 환경공해기능사 같은 자격증을 취득하기도 했다. 생업을 게을리할 수 없었기에 필요한 것이기도 했고, 지식인이 노동자로 '존재를 이전'하기 위한 수단이기도 했다. 당시에는 조영래뿐 아니라 많은 지식인 운동가가 노동 현장에 들어가려 했고 실제로 그런 경우도 많았다. 노동운동이 우리 사회를 변화시킬 가장 확실한 길이라고 믿었기 때문이었다.

다시
세상 속으로

끝나지 않을 것 같던 세월이 갑자기 끝났다.

박정희가 가장 믿었던 심복의 손에 죽었다. 조영래가 그 순간 어떤 생각을 했는지 우리는 알지 못한다. 하지만 박정희 치하에서 고통받았던 많은 사람이 그러했듯이, 짜릿한 해방감을 느끼지 않았을까. 남다른 감수성을 지닌 그가 젖어 든 감회를 쉽게 짐작하기는 어렵다. 어쩌면 적장의 돌연한 죽음 앞에 허탈해했을지도 모른다. 모를 일이다.

박정희의 죽음으로 조영래는 6년 만에 비로소 세상으로 나왔다. 1980년 초 복권되고 미루어왔던 결혼식도 치른다. 이화여대 강당에서 변호사 홍성우의 주례로 치러진 결혼식에는 이미 다섯 살이 된 일평이도 함께였다. 둘째는 아직 태어나기 전이었다.

조영래는 3월, 합격 후 9년 만에 다시 사법연수원에 들어간다. 문재인, 박원순 등이 사법연수원 12기 동기였다. 동시에 채 마치지 못한 대학원도 들어가는데, 10년 전에 준비해 두었던 석사 학위 논문은 〈노동계약의 효력에 관한 연구〉였다. 이미 전태일의 분신 이전부터 노동법에 관심이 컸던 그였기에 적당한 주제라고 할 수 있었는데, 새로 대학원에 들어와서 쓴 논문은 〈공해 소송에 있어서의 인과관계 입증에 관한 연구〉였다. 늘 변하는 현실에 민감하게 대응한 조영래는 이때 이미 환경 문제가 중요한 사회 의제가 될 것으로 꿰뚫어 보고 있었다. 조영래가 남보다 훨씬 일찍 공해나 환경 문제에 눈을 뜬 것은 어쩌면 자신보다 뛰어나다고 했던 막내아우 조중래의 영향도 있었을 것이다.

서울대학교 공과대학에 다니던 조중래는 유명한 형을 둔 덕분에 1학년 때부터 운동권과 당국의 관심을 동시에 받았다. 조영래는 동생이 섣불리 운동에 나섰다가 자신이 하는 일을 그르치는 결과가 생길까 많은 염려를 했다고 한다. 그만큼 운동권에서 조영래가 차지하는 비중이 높았기 때문이었다. 그러나 조중래 역시 가만히 있을 사람이 아니었다.

당시 서울공대 운동권은 산업사회연구회와 산업경제연구회라는 이념 동아리가 양축을 이루고 있었다. 조중래는 산업사회연구회에 소속돼 있었다. 형 때문에 운신이 자유롭지 못했던 그로서는 뭔가 다른 대안을 찾을 수밖에 없었다. 3학년 때인 1974년 4월에 터진 민청학련 사건으로 그 역시 강제로 군에 끌려갔다. 그리고 군대에서 그는 중대한 고민을 하기에 이른다. 공대생답게 산업화 과정에서 발생하는 공해가 중대한 사회 문제가 될 것을 일찍 깨달은 것이다. 77년 제대 즉시 그는 이종원, 조홍섭 등과 함께 공부 모임을 만들고 화곡동 집에서 공해 문제에 대해 학습하기 시작한다. 그렇게 해서 1979년에 탄생한 것이 우리나라 최초의 환경운동 조직이라 할 '공해연구회'였다.

동생 조중래가 하는 환경운동을 조영래는 적극 지지하고 지원했다. 조영래의 석사 논문은 공해 소송에 있어서 피해자의 증명 책임을 줄여야 한다는 것과 이를 위해 전통적인 민법 이론을 수정해야 한다는 결론을 내린다. 그리고 몇 년 후 변호사로서 조영래는 운명과도 같이 우리 환경 운동사에 지울 수 없는 이정표를 새기는 사건과 맞닥뜨리게 된다.

아직 연수원생이고 대학원생이던 1980년 5월, 전두환 일당의 쿠데타와 연이은 5·18민주화운동의 잔인한 진압은 모두에게 엄청난 충격을 준 사건이었다. 만약 두 달 전에 조영래가 사법연수원에 들어가지 않았던들 그 역시 체포를 면하지 못했을 것이었다. 쿠데타 세력은 민주화 운동가들을 내란음모라는 올가미를 씌워 무차별적으로 잡아들였지만 연수원에 있던 조영래는 가까스로 그들의 손아귀를 벗어날 수 있었다. 조영래가 전두환 세력의 등장에 별다른 대응을 하지 않은 것을 두고 사람들이 의아하게 생각하기도 했으나, 이후에 조영래가 걸어간 길을 보면 그것은 전략적인 준비였다고 보아야 할 것이다. 조영래를 가장 잘 아는 사람 중 한 명인 박원순은 이에 대해 이렇게 썼다.

"일부에서 오해할 정도로 그는 신중하게 지냈던 것이다. 그러나 그것은 더 큰 역할과 소명을 수행하기 위한 준비 기간이었음이 밝혀졌다. 바로 1980년대 전두환 군부독재와의 처절한 싸움에 나서게 되는 것이다."

연수원 생활 후반부 몇 개월 동안 검사시보를 하면서 조영래는 인상적인 일기를 남긴다. 조영래가 어떤 마음을 가지고 법조인이 되려 했는지 그 일단을 보여주는 글이다.

"이제 어느덧 조금씩 타성이 붙어가는 듯하다. 묶여온 사람들을 바라보는 전율도 이젠 점차로 각질화되어 일상의 무감동에 조금씩 압도되어간다. 나로서는 권력을 향유하는 최초의 체험이며…… 어쩌면 아마도 마지막 체험이 될지도. 그러므로 이처럼 기이하게 주어진 넉 달의 기회를 내 영혼의 가장 깊은 곳에서부터 가장 맑고 신선한 숨결로 부딪쳐 나아가 최선의 것을 이루어내야 한다고 마음먹고는 있다."

조영래는 판사나 검사를 하려는 마음이 전혀 없었던 게 확실하다. 실제로 사법연수원 졸업 시험에서는 거의 꼴찌에 가까운 석차였다고 한다. 누구보다 열심히, 충실하게 연수원 생활을 해 냈지만 시험만큼은 부실하게 쳤다고나 할까. 어쨌든 조영래는 사법연수원을 마치자마자 변호사로서 첫발을 내디딘다. 그리고 시민공익법률상담소라는 낯선 간판을 건다. 그 간판은 자체로 우리 법조 역사에 한 획을 그은 것이었다. 어쩌면 이 이름을 내 걸기 위해 조영래는 변호사가 되었을지도 모른다.

조영래는 예민한 촉수로 70년대부터 미국의 랄프 네이더를 주목하고 있었다. 랄프 네이더는 미국의 변호사로 처음에는 주로 소비자 보호 운동을 전개하다가 뜻있는 사람들과 단체를 만들어 공해 문제, 도시 환경 문제, 핵 문제, 약물 피해 문제 등 시민의 공익에 미치는 문제들을 해결하는 데 앞장선 법률가였다. 소비자 혁명을 주도한 그의 운동은 안전하고 투명한 사회, 부정부패가 없는 사회라는 공동체 운동으로 발전해 나갔다. 조영래는 우리 사회도 반드시 그런 문제에 직면하리라 생각했고 변호사로서 공익에 기여하는 것을 자신의 목표로 삼았다.

시민공익법률상담소는 1983년 봄, 서소문 대한일보 빌딩 안에 첫 둥지를 틀었다. 변호사로 첫발을 내딛기 직전, 그는 〈겨울의 배반〉이라는 제목으로 한 편의 시를 쓴다. 그가 남긴 단 한 편의 서정시기도 한데, 이 시에는 여러 정서가 엉켜 있다. 첫 번째는 박정희가 죽고 난 후 '서울의 봄'이 맞이한 겨울의 배반이다. 그 배반이 결국 광주의 참극으로 이어졌으니 조영래로서는 12·12군사 반란이 일어난 그 겨울이 지독한 민주주의에 대한 배반이었다. 또한 이 시는 죽음과 공포를 기본 정조로 깔고 있다. 광주 학살로 숨진 사람들, 끌려가 고문을 당하고 차디찬 감옥에서 고통받는 벗들을 떠올리며 쓴 시인 것이다. 무엇보다 조영래 자신의 고통이, 변호사로 나서는 자신의 삶에 대한 나직한 다짐이 담긴 시다. 약간은 냉소적으로 변호사란 '짧은 시간에 생계를 해결할 수 있는, 조금 덜 나쁜 직업'이라고 했던 조영래가 앞으로의 삶이 '잔혹한 겨울을 뿌리치는 것'이라고 스스로 다짐하는 시인 것이다.

깊은 밤
차디찬 꿈에서 홀로 깨어나다.

이 낯선 거리에는
짓밟힌 낙엽조차 남지 않았다.

국향菊香 아득히 멀어져가고
자욱한 안개 속을 울며 떠난 향토

도회지 불빛 뒤로 날리며
나는 가쁜 숨결로 끝 간 데 없이 달려왔다.

나를 손짓해 불렀던 그것들
달아오른 얼굴로 뜨겁게 사랑했던 모든 기억들

지금은 싸늘한 주검으로 돌아와
천애天涯의 벼랑에 서다.

무엇인가 저기
시린 손끝으로 적막한 인사를 보내는 것은.

무엇인가 저기
희미한 미소로 차츰 다가서 오는 것은

낮게 흔들리는 촛불
그림자 속에 깊이 숨어

하나의 낯익은 모습이 떠오른다. 옛것인가 저것은
하나의 눈부신 환상이 떠오른다. 새것인가 저것은

잔혹한 겨울이여 너를
뿌리치라고 뿌리치라고
나즉히 속삭인다.[20]

집단 소송의
새 장을 열다

조영래, 보석처럼 빛났던 이름, 명쾌한 판단과 명확한 논
리, 두둑한 배짱과 서슴없는 실천, 섬세하고 따뜻한 사랑으
로 감싸진 사람, 시대의 어둠과 민족의 고난 속에서 혈로를
뚫어 가던 그 기개와 지혜, 그 속에 선배와 후배를 끌어넣어
정의에 눈뜨게 하고 세상 사는 맛 나게 만들던 사람, 그러므
로 조영래는 항상 모든 사람의 대장이었으며 사령탑이었고,
우리들의 자문역이었으며 우리들의 기댈 언덕이었습니다. 조
영래가 가는 곳만 따라다니면 그곳에 진실이 있었고 정의가
있었고 승리가 있었습니다. 조영래가 가는 곳에는 허위의
가면도 불의의 권세도 추풍낙엽처럼 스러져갔습니다. 조영
래가 있음으로써 80년대 그 어둠의 세상도 신바람 나고 즐
거울 수 있었습니다. 그런데 이제 조영래 없는 법정을 무슨
용기로 드나들며, 조영래 없는 세상을 무슨 재미로 살며, 조

영래 없는 미래를 무슨 희망으로 꿈꿀 수 있습니까?

그가 사랑했고 그를 사랑했던 이 시대, 이 땅의 가난하고 억눌리고, 억울하고 한 맺힌 사람들은 이제 누구를 의지하며 그들을 짓밟는 저 불의와 허위는 누가 깨뜨릴 것입니까?

이 많은 애인을 도처에 만들어두고, 이 많은 사연을 뿌려두고 이 많은 할 일을 남겨두고 당신은 어쩌자고 이리도 홀연히 떠나는 것입니까? 아직도, 아니 이제야 당신의 진면목을 보자고 몰려든 우리들을 이토록 뿌리치고 홀연히 떠나려는 것입니까?……[21]

조영래보다 윗세대 변호사이자 조영래 결혼식의 주례를 섰던 홍성우가 그의 죽음에 부친 추도사에는 그가 얼마나 많은 사람의 사랑과 기대를 한 몸에 받고 있었는지를 잘 말해 준다. 손학규의 회고에도 그런 아쉬움이 짙게 배어난다.

"조 변호사는 학생운동가로서, 반독재 투쟁가로서, 인권변호사로서, 문필가로서 다양한 면모가 있지만 잠재적인 정치가로서의 그에 대한 기대가 상당히 광범하게 있었던 것이 사실입니다. 조 변호사는 일개 변호사가 아니라 정치지도자로서 언젠가 깃발을 들리라 기대했던 거죠."

많은 사람이 기대한 '정치지도자'로서 깃발을 들기 전에 그는 세상을 떠났다. 그의 마지막 생애는 변호사였지만 그냥 변호사가 아니었다. 그야말로 '전설이 된 변호사'였다.

우리나라 변호사법 1조 1항은 '변호사는 기본적 인권을 옹호하고 사회정의를 실현함을 사명으로 한다.'라고 되어 있다. 마치 대한민국은 민주공화국이라는 헌법 1조처럼 변호사의 사명을 명료하게 규정해 놓았다. 그러므로 사실 모든 변호사는 인권변호사이고 정의의 수호자다. 물론 현실은 그렇지 않기 때문에 우리 사회에서 '인권변호사'라는 말은 특수하다. 그리고 우리 역사에서 존경받는 인권변호사는 그 수가 많지 않을지언정 길고도 꾸준하게 존재해 왔다.

일제 강점기에 독립투사들을 변호했던 유명한 3인방 변호사로 김병로, 허헌, 이인이 있었으나 해방 후에는 그 전통이 끊긴다. 전쟁과 이승만 독재 하의 사회는 인권이라는 말도 꺼내지 못할 만큼 얼어붙어 있었다. 60년대에 홀로 정의와 법치를 외치던 이병린 변호사가 있었고, 70년대에 엄혹한 유신정권에 맞선 한승헌 변호사가 있었지만 본격적으로 인권변호사가 등장한 것은 1974년 이후였다. 민청학련 사건부터 본격화되기 시작한 우리나라 인권변호사의 활약은 소위 '4인방 변호사'라 불리는 1세대 변호사 네 명이 중추를 이루었다. 이돈명, 홍성우, 황인철,

조준희 변호사가 그들이다. 네 변호사가 70년대 민주화 운동 과정에서 해낸 법정 투쟁은 말 그대로 처절한 싸움이었다. 수많은 사람이 독재의 칼날 아래 죽어 갔지만 또 많은 사람이 이 변호사들의 활약으로 목숨을 건지거나 민주화 운동의 정당성을 법정에서 다툴 수 있었다.

이제 조영래가 변호사가 되어 합류함으로써 우리나라 인권 변호는 새로운 시대를 열어갈 참이었다. 조영래가 본격적으로 변호사 활동을 한 기간은 불과 7년 남짓이었지만, 변호사로서 그가 남긴 발자취는 실로 눈부신 것이었다. 역사에 남을 사건이 대한빌딩에서 인근의 명지빌딩으로 확장 이전한 조영래의 '시민공익법률상담소'에서 쏟아져 나오기 시작한다. 사무소에는 노동운동가이자 서울대 법대 후배인 박석운이 함께하고 있었다. 뛰어난 이론가이며 현장 활동에 탁월한 감각을 지닌 그는 노동자에게 필요한 법률과 사회적 사건을 상담하고 분석하는 동료였다. 그 첫 번째 사건이 망원동 수재 집단 소송이었다.

1984년 9월 1일과 2일에 걸쳐 서울과 중부 및 강원 지방에 쏟아진 350㎜의 폭우로 인해 불어난 한강 물이 서해로 미처 나가지 못하고 역류가 시작되었다. 이로 인해 서울 지역의 저지대인 망원동 일대가 침수되면서 대규모 수해가 발생하였다. 당시

공사 중이던 망원동 유수지 제방이 유실되었고 마을 주민들이 이를 신고하였으나, 구청에서는 별로 신경 쓰지 않았고 오히려 방송을 들으며 기다리라는 답변뿐이었다. 결국 제방이 터지면서 물길은 망원, 서교, 성산, 합정동 등을 덮치며 5,000여 가구가 침수되는 대참사가 터지고 말았다. 급히 피난길에 오른 주민들은 높은 곳으로 올라가기에 바빴고 중동초등학교에만 3,000여 명 가까운 주민이 대피하는 사태가 벌어졌다.

조영래는 신문 기사를 접한 뒤 이 사건에 대한 인재 가능성을 의심하며 소송단을 모집하였다. 처음 박석운의 지인을 중심으로 고작 다섯 명으로 시작한 소송은 3년여의 긴 시간을 끌며 3,700여 명이 함께하는 대규모 소송으로 발전했다. 우리나라 최초의 집단 소송이 시작된 것이었다.

서울시는 망원동 유수지 공사 중 발생한 부실 공사의 증거를 담은 토목학회 결과보고서를 은폐하고, 천재에 의한 사고라는 주장을 펼쳤다. 그러나 지역 주민들의 증거보전 노력과 조영래, 박원순 변호사 등의 현장에 대한 증거보전 신청, 배수로의 부실 공사와 물을 막아야 하는 수문 상자가 원래 계획보다 작게 설계·시공된 사실, 벽과 바닥의 방수 처리 미흡 등의 내용을 담은 사고 보고서가 제출되면서 애초에 다윗과 골리앗의 싸움으로 여겨지던 소송은 망원동 주민의 승리로 끝나게 된다. 그 과정에서 변호사 조영래의 빛나는 활약이 있었다.

조영래는 망원동 수재가 '천재'가 아니라 '인재'임을 입증하기 위해 토목학, 수리 역학, 수문학, 콘크리트 기술 등에 관한 엄청난 양의 서적을 섭렵하였고, 서울시가 증인으로 채택한 공학자를 집요하고 끈질기게 몰아붙인 끝에 마침내 망원동이 물에 잠긴 것은 배수갑문의 설계 잘못 때문이라는 판결을 받아냈다. 조영래만이 보여 줄 수 있는 놀라운 치밀함과 뚝심이 유감없이 발휘된 사건이었다.

이 재판의 의미를 설명한 조영래의 육성이다.

"과거, 말로 해선 안 되니까 과격한 농성 등 힘과 힘의 대결로 치달았습니다. 결국 민원인들은 정당한 주장임이 틀림없는데도 그 방법이 문제가 되어 도리어 형사처벌을 받기가 일쑤였습니다. 행정관청은 그 같은 주민들의 민원을 방치해 두다가 선거 때나 가야 선심 쓰듯이 해결하는 파행을 거듭해 왔고요. 그러나 망원동 재판이 선례가 될 때, 그렇지 않아도 많은 행정관청과 주민들의 분쟁이 건전한 법질서를 통해 해소될 수 있다는 관행이 성립될 수 있을 것입니다."

조영래가 한창 망원동 사건에 매달려 있던 85년 1월, 《한국일보》에 충격적인 기사가 실렸다. 18일 자 사회면 머리기사 제목은 〈온산공단 어민 500여 명 이따이이따이병 증세〉였다.

울산시 울주군에 속한 온산면은 1974년에 산업개발지역으로 지정되었고 아름다운 어촌 마을은 악취와 매연으로 뒤덮인 공해 도시로 변하기 시작했다. 고려아연, 온산동제련, 풍산금속, 럭키화학, 쌍용정유 등 많은 비철금속, 석유화학 공장이 들어선 것이었다. 그로 인해 오염이 가속화되면서 주민들과 크고 작은 마찰이 끊이지 않았다. 결정적으로 83년경부터 온산 지역에서 원인 모를 집단 괴질이 발생하기 시작했다. 허리, 팔, 다리 등에서 전신으로 통증이 퍼지는 전신 신경통 증세, 수족 마비, 전신 마비, 반점 등이 생기기 시작했다. 이 집단 괴질은 중금속 폐수가 흘러나오는 대정천을 중심으로 매년 늘어 그 환자 수가 500여 명에 이르렀다. 그리고 그 집단 괴질은 일본에서 발생해 세계적인 충격을 주었던 공해병과 비슷하다는 것이었다.

'온산사태'로 불리게 된 이 공해병 사건은 전국을 발칵 뒤집어 놓았다. 아직 공해나 환경에 대한 인식이 거의 없던 시절에 국민을 충격으로 몰아넣은 것이다. 공해 문제에 각별한 관심이 있던 조영래는 이미 신문에 사실이 폭로되기 전부터 이 문제에 대응하고 있었다. 조영래는 당시 최열이 이끌던 공해문제연구소(이후 공문연)와는 다른, 그만의 방식인 주민집단 소송을 계획하고 있었다. 조영래는 1월 중순에 조사단을 꾸려 울산으로 내려

갔다.

조사단의 1차 집결지는 울산 태화호텔 커피숍. 구성원은 조변호사와 박석운, 공문연의 정문화, 부산에서 올라온 문재인 변호사, 울산의 내과 의사 김매자, 포항의 피부과 의사 등 총 여섯 명이었다. 입증 자료를 만들기 위해 의사들을 참여시켰고 실제 소송을 진행하기 위해 현지 변호사인 문재인을 부른 것이었다. 당시 문재인은 노무현 변호사와 함께 공문연 부산지부 이사로 참여하고 있었다. 문재인은 자서전 《운명》에서 당시를 이렇게 회고했다.

"……조영래는 내게 많은 영향을 주었다. 판사 임용이 거부되었을 때 '김&장'을 비롯해 두어 군데 법무법인과의 만남을 주선해 준 것도 그였다. 1984년과 1985년 울산 온산공단에서 다수의 주민에게 온산병이라고 불린 공해병이 발생했을 때, 그의 연락을 받고 온산공단에 가서 함께 역학조사를 벌였다. 발병자의 머리카락을 채취해 중금속 검사를 의뢰하기도 했다. 그의 노력으로 온산병은 사회 이슈화하기에 이르렀다. 공해병이 아니라고 일관하던 당국도 결국 공해 관련성을 인정해 주민들을 집단 이주시켰다."[22]

그러나 결과적으로 조영래가 계획한 집단 소송으로 이어지지는 못했다. 당시 온산공단에는 많은 기업이 있었고 주민들이 비숫한 증상을 일으킨다 해도 어느 공장의 공해 때문인지, 복합적인 요인 때문인지, 복합적이라면 구체적으로 어떤 것들이 겹쳐서 나타나는지 밝히기가 매우 까다로웠다. 일본에서 이타이이타이병을 조사하고 공해병으로 인정하기까지 무려 15년이 걸린 것을 생각하면 거의 불가능한 시도이기도 했다. 하지만 온산사태와 조영래의 대응은 환경 운동사에 중요한 전기를 이루는 하나의 사건이었다.

여성 조기정년제와
상봉동 진폐증 사건

1986년 3월 4일, 법원에서는 여성들을 경악하게 만든 판결 하나가 내려진다. 직장에 다니는 21세의 미혼 여성 이경숙 씨가 교통사고로 다리를 심하게 다치자 재판부가 25세까지만 직장을 다니는 것으로 손해배상액을 계산하고 나머지 55세까지는 일용 잡급직 노임으로 산정하라는 판결을 내린 것이다. 여성들이 보통 그 나이에 결혼하여 직장을 그만두고 가사 일을 한다는 이유였다. 실제로 당시 헌법에는 여성의 정년이 25세였다.

판결에 분노한 여성들이 일어났고 조영래는 이 사건이 인권과 성 평등에 관한 중대한 문제가 되리라 판단했다. 조영래는 이경숙 씨 본인도 마다하는 것을 설득하여 2심 변론을 무료로 맡았다. 여성단체의 총력전을 조영래가 지휘하고 수많은 전문가가 법정에서 증언했으며, 각종 사회단체가 성명을 발표하고 무수한 공청회와 토론회가 열렸다. 조영래는 이 사건이 개인적 이

해관계를 넘어 한국 여성의 권익에 관한 문제이므로 재판이 늦어지더라도 충분하고 신중한 심리로 공정한 판결을 내려 달라고 요구했다. 그러면서 변론 과정에서 재판이 시작되기도 전에 장문의 의견서를 제출하였다. 이 또한 우리나라 변론 사상 처음 있는 일이었다. 의견서에서 조영래는 '판결이 시대를 이끌어야 한다'며 법원의 사회 선도적 기능을 강조했다.

조영래가 당시에 얼마나 선진적인 생각을 하고 있었는지 알 수 있는 의견서의 한 대목이다.

경험칙은 시대에 따라 변하는 것이며 법원은 항상 전진하는 시대의 추세를 예의주시하면서 그 속에서 새로이 생성·변화·발전하여 나가는 경험칙을 탐구하여야 할 의무가 있습니다.

본 대리인의 견해로는 "미혼 여성은 결혼하면 퇴직하여 가사노동에 전념하게 된다"는 것은 적어도 수십 년 이전까지의 시대에 있어서, 그것도 도시 중·상류층 여성들에 한정되어 적용될 수 있는 경험칙이었을지언정, 격심한 근대화·산업화·세계화의 변혁 과정을 거친 오늘날의 사회에 있어서는 더 이상 유효한 경험칙이 될 수 없습니다.

지난 수십 년간에 걸쳐 급격한 속도로 진행된 여성 취업

인구의 증대, 여성 교육의 확대, 여권운동 및 여성 해방 사상의 보급 등 일련의 과정은 여성들의 삶과 의식에 실로 혁명적인 변화를 초래하였으며 이 같은 변화는 금후로도 더욱 가속적으로 진행되어 나아갈 것이 예상됩니다.

'남자는 직장, 여자는 가정'이라는 성적 역할 분리sex role의 신화는 급속히 붕괴되어 가고 있으며 사회참여를 향한 여성들의 열망은 점증하고 있으며 여성 노동에 대한 온갖 종류의 편견, 천시, 차별, 억압에 대한 저항이 갈수록 강화되어가고 있는 것이 오늘의 추세라 할 수 있습니다.[23]

이러한 논변에 이어 일본, 미국, 독일 등 선진국의 법률과 판결을 상세히 소개해서 법원의 결심을 촉구하고 구체적인 판단을 도와주는 변론 과정을 진행했다. 조영래는 훗날 이 사건을 회고하며 이렇게 말했다.

"우선 '결혼하면 퇴직할 것이다'라는 판단이 틀렸다는 것을 뒷받침하는 사례를 제시하는 것이 과제였습니다. 그래서 직접 여론조사를 통해 미혼 여사원들의 직업관을 알아보았는데 결혼 후에도 취업하겠다는 경우가 91.3%로 나타났고 이를 재판부에 제시했지요. 10년 전에도 비슷한 조사가 있었는데 그때의 비율이 반반 정도였던 것에 비하면 상당한 변화가 있던 셈이에요. 특히 경제적인 이유에서가 아니라 정신적인 만족을 위해 취업하겠다는 답이 많이 나온 것에 놀랐습니다."

공해와 환경에 일찍 눈뜬 조영래가 빛나는 성취를 이룬 또 다른 사건은 상봉동 진폐증 사건이었다. 피해자는 박길래라는 평범한 가정주부였다. 그녀가 직접 밝힌 사연은 이랬다.

"성북구 동소문동에 전셋집을 얻어 살다가 1979년도에는 중랑구 상봉동에 조그마한 내 집을 마련할 수 있었습니다. 그런데 1982년부터는 까닭 없이 피곤을 자주 느끼고 감기가 잦아지는 등 호흡기 질환이 심해져서 몸이 말을 듣지 않을 정도로 건강이 매우 악화되었습니다. 1984년 내과에서 폐에는 이상이 없다고 해서 일반 내과 치료만 했습니다. 85년경부터는 기침과 통증 때문에 견딜 수가 없어 다시 검진한 결과 폐결핵 2기라는 진단을 받았습니다. 청천벽력 같은 이야기였습니다. 6개월 동안 약을 타서 먹었으나 차도는 없고 오랫동안 항생제를 복용해 위장장애까지 나타나 이중의 병마에 시달렸습니다. 그러나 결핵은 낫지 않고 병은 더욱 악화되었습니다. 그래서 1986년 11월경 국립의료원 흉곽내과에 입원하여 폐 조직 검사를 받고서야 비로소 '탄분증(진폐증의 일종)'이라는 진단이 내려지게 되어서 저의 확실한 병명이 밝혀졌습니다. …… 탄광촌의 광부도 아니고, 연탄공장의 노동자도 아닌 가정주부가 이런 병에 걸릴 까닭이 무엇입니까? 담배 한 대 입에 대 본 적이 없는 저의 폐가 왜 새까맣게 되어 불치의 병에 시달려야만 한단 말입니까?"

어렵게 일해 20년 만에 내 집 마련한 기쁨도 잠시, 당시 상봉동 인근에 있던 수많은 연탄공장으로 인해 얻은 병이었다. 산더미처럼 쌓인 석탄 더미, 형식적으로만 갖춰져 있는 분진 망, 덮개도 없이 달리는 연탄 트럭 등 너무나 좋지 않은 환경이었다.

조영래는 이 사건을 접하자마자 또다시 무료변론을 자처하고 나섰다. 그리고 법에는 있되 사문화되어 아무도 쓰지 않는 카드 하나를 먼저 꺼내 들었다. 소송구조 신청이 그것이었다. 소송구조란 경제적 약자에게 인지대 등 소송에 필요한 비용을 법원이 대신 내 주는 제도다. 하지만 조문만 마련돼 있을 뿐 이용하는 사례가 거의 없었다. 조 변호사는 법전 속에 잠자고 있는 이 사법제도를 찾아내 생명력을 불어넣었다.

결국 법원은 조영래가 신청한 소송구조를 받아들였는데, 이는 이후 공해 소송에 있어 소송구조 제도를 확대한 계기가 되었다. 그러나 법정 다툼은 쉽지 않았다. 공해소송의 핵심은 인과관계를 규명하는 것이다. 쉽게 말해서 박길래 씨가 피고인 삼표연탄 망우공장의 탄가루에 의해 진폐증이 걸렸다는 점을 증명해야 한다.

조영래는 양심적인 의사들의 지원을 받아 역학조사를 실시했다. 역학조사는 박길래 씨에게 진폐증을 유발한 것으로 추정되는 삼표연탄 공장의 반경 1km 이내에 있는 상봉동 주민 가운데 5년 이상 계속 거주한 2,095명을 대상으로 약 3개월 동안 실시했다. 그 결과 박 씨 외에 두 명의 진폐증 환자와 세 명의 의사진폐증 환자를 확인했다. 새로 확인된 환자 다섯 명 중 세 명은 박 씨처럼 연탄공장이나 탄광에 근무한 경력이 없는 사람들이었다. 이를 근거로 조사팀은 시내 17개 저탄장 주변 주민 1,842명을 대상으로 2차 역학조사를 실시하여, 여덟 명의 진폐증 환자와 열네 명의 의사진폐증 환자를 추가로 발견했다. 철저한 조사를 통해 인과관계를 입증해 낸 것이다.

인과관계 외에도 뜨거운 법정 논쟁거리가 된 것이 '수인한도론'이었다. 즉 사람이 사회에서 생활하는 데 있어 어느 정도까지는 참아야 하는 범위가 있다는 것이다. 피고 측은 석탄 산업이 공익적 성격이 있는 점, 그리고 연탄공장이 먼저 들어서고 그 뒤에 주거지가 형성된 점 등을 고려할 때 주민들이 석탄 가루가 날리는 것에 대해 어느 정도 참아야 할 의무가 있다고 주장했다.

그러나 조영래는 과거 공해소송에서 위법성을 판단하는 지배적인 이론으로 삼았던 수인한도론을 새로운 법 논리로 반박했다. 세계적으로 환경권의 개념이 확립되면서 수인한도론에 대한 심각한 반성과 비판이 일고 있는 데다 우리 헌법도 환경권을 보장하고 있는 만큼 수인한도라는 개념은 허용될 수 없다는 강력한 주장이었다. 여태껏 장식물처럼 헌법 속에 잠자고 있던 환경권을 현실 속에 되살린 개념이었다.

결국 법원은 박길래에게 손해배상금 1,000만 원을 지급하라는 원고 승소 판정을 내렸다. 조영래의 논리가 받아들여진 것이었다. 이 판결은 고등법원을 거쳐 대법원에서도 그대로 확정, 국내 환경소송의 새로운 이정표를 세웠다. 사법부가 환경 문제로 인한 재산 피해가 아닌 신체 피해를 인정한 첫 사례였다.

부천서
성고문 사건

인권변호사로서 새 장을 연 조영래가 인간에 대한 깊은 이해와 분노, 탁월한 글솜씨 등을 총동원해 그야말로 심혈을 다해 매달린 사건은 부천서 성고문 사건이었다. 조영래가 쓴 최고의 변론이자 우리나라 역사상 가장 탁월한 변론은 이렇게 시작한다.

변호인들은 먼저 이 법정의 피고인석에 서 있는 사람이 누구인가에 대하여 이야기하고자 합니다. 권 양-우리가 그 이름을 부르기를 삼가지 않으면 안 되게 된 이 사람은 누구인가? 온 국민이 그 이름을 모르는 채 그 성만으로 알고 있는 이름 없는 유명인사, 얼굴 없는 우상이 되어 버린 이 처녀는 누구인가? 그녀는 무엇을 하였는가? 그 때문에 어떤 일을 당하였으며 지금까지 당하고 있는가에 대하여 이야기하고자 합니다. 국가가, 사회가, 우리가 그녀에게 무엇을 하였으며 지금까지도 하고 있는가에 대하여 이야기하고자 합니다.

그리고 눈물 없이는 상기할 수 없는 '권 양의 투쟁'—저 처참하고 쓰라린, 그러면서도 더없이 숭고하고 위대한 인간성에의 투쟁에 대하여, 그리하여 마침내 다가올 '권 양의 승리', 우리 모두의 승리에 대하여 이야기하고자 합니다. 진흙탕 속에서 피어난 해맑은 연꽃처럼 오늘 이 법정을 가득히 비추고 있는 눈부신 아름다운, 그 백설 같은 순결, 어떤 오욕과 탄압으로도 끝내 꺾을 수 없었던 그 불굴의 용기와 진실을 위한 눈물겨운 헌신에 대하여 이야기하고자 합니다.

그리하여 지금 이 법정에서 이룩되어야 할 일이 무엇인지에 대하여 이야기하고자 합니다.[24]

조영래가 이 끔찍한 사건을 처음 접한 것은 1986년 7월이었다. 같은 정의실천법조인회(이후 정법회) 회원인 이상수 변호사가 부천경찰서에 다녀와서 전한 소식은 실로 믿기 어려운 내용이었다.

권인숙이라는 서울대 출신의 여성 노동자가 부천경찰서에 체포되어 성고문을 당했다는 내용이었다. 조영래는 다음 날 홍성우 변호사와 함께 권인숙을 면회했다. 끔찍한 이야기를 꼼꼼히 적었다. 정권의 도덕성을 발밑부터 무너뜨릴 엄청난 사건이었다. 무엇보다 한 가녀린 여성이 겪은 무시무시한 고문의 고통이 그대로 전해져 왔다.

85년 봄, 서울대 의류학과 4학년 권인숙은 경기 부천시에 있던 한 공장에 '허명숙'이라는 가명으로 취업한다. 이른바 위장 취업이었다. 이듬해 6월 4일 권인숙은 주민등록증을 위조한 혐의로 경기 부천경찰서에 연행되었고 관련 사실을 시인했으므로 혐의 사실 자체는 별문제가 없었다. 그런데 그녀에게 6일 새벽과 7일, 두 번에 걸쳐 조사계 형사 문귀동은 5·3 인천 사태* 관련자의 행방을 추궁하면서 차마 입에 담지 못할 폭행과 고문을 자행했다. 뒤로 수갑이 채워져 저항할 수 없는 상태의 그녀에게 성고문을 가한 것이었다.

권인숙은 극한적인 수치심과 절망감에 몸을 떨었다. 며칠간 극한의 고통 속에서 고민하던 권인숙은 다시는 이 땅에 추악한 공권력으로부터 희생당하는 여성이 없어야 한다는 생각에 중대한 결심을 하기에 이른다. 권인숙은 젊은 미혼 여성으로서의 수치심과 앞으로 받게 될지 모를 엄청난 수난을 각오하고 자신이

---

*1986년 5월 3일 재야 및 학생 운동권 세력이 국민헌법 제정과 헌법제정민중회의 소집을 요구하는 시위를 벌인 사건.

당한 고문을 조영래에게 털어놓았다.

공권력의 추악한 타락상은 조영래 등이 작성한 고발장에 의해 삽시간에 전국에 알려졌고 7월 3일 권인숙은 문귀동을 고소하면서 진상 규명을 요구했지만, 바로 이날 그녀는 공·사문서 위조 혐의 등으로 구속기소되었다. 문귀동은 이를 틈 타 곧바로 명예훼손과 무고 혐의로 권인숙을 맞고소했다. 뒤늦게 수사에 나선 검찰은 7월 16일 수사 결과 발표에서 권인숙이 성적불량자, 가출자이며 급진 좌경 사상에 물들어 '혁명을 위해 성적 수치심까지 이용'하는 거짓말쟁이라고 매도했다. 아울러 고소장에 나타난 문귀동의 혐의는 인정되지 않아 기소하지 않는다고 밝혔다. 당국의 보도지침에 따라 각 신문은 '성적 모욕 없었고 폭언·폭행만 있었다.'라는 내용으로 채워졌다.

이에 변호인단은 "권 양의 모든 주장은 단 한 치의 거짓도 없는 진실이다. 이 전대미문의 만행 진상이 백일하에 공개되고 그 관련자들이 남김없이 의법처단되기 전까지는 이 나라의 모든 국민과 산천초목까지도 절대 잠잠하지 않을 것이다."라고 비장하게 선언했다.

조영래는 권인숙이 증언한 내용을 토대로 사건의 고발장을 30만 부나 찍었다. 온 세상에 울려 퍼지게 될 '독재정권, 고문정권 타도'의 신호탄이었다. 조영래는 이 사건을 법정에서만 해결하려 하지 않았다. 각계각층에 진실을 알리고 투쟁에 동참시켰고, 김수환 추기경은 '친애하는 권 양에게'라는 자필 메모를 써서 보내기도 했다.

권인숙은 처음 면회 온 조영래가 누구인지 몰랐고 진짜 변호사인지 의심조차 들었다고 한다. 머리는 덥수룩하고 넥타이는 비뚤어졌고, 코트는 땟물이 흐르고 신발은 해지기 직전인 낡은 구두 차림이었다. 늘 그런 차림의 조영래였으니, 보통 알고 있는 변호사라는 이미지와는 너무나 거리가 멀었다. 물론 거의 날마다 면회를 와서 한나절씩 이야기를 나누며 권인숙은 조영래를 신뢰 정도가 아니라 친오빠처럼 여기고 의지하게 된다.

언제나 일에 매달릴 때는 그랬지만 부천서 사건에 대한 조영래의 열정은 대단했다. 자신이 훨씬 선배면서도 조영래를 '우리 대장'이라 부르며 자랑스러워하던 홍성우 변호사는 처음 권인숙을 면회하던 날을 이렇게 떠올린다.

"……권인숙과 첫 면회를 할 때도 그래요. 1시간 반 정도 시시콜콜히 이야기를 듣고 나니 오후 4시 반쯤 되었어요. 나는 이제 가자고, 인천이니까 서울까지 와야 할 거 아니에요. 근데 이 친구는 그때가 시작이에요. 조금 전에 이야기한 걸 또다시 부연해서 그렇게 집요하게 묻고 확인하고 그래요. 그 친구하고 일을 하면 중간에 지쳐 버린다고. 일을 붙잡으면 지나칠 정도로 완벽하게 하는 그 집요함 때문에 다음 단계로 넘어가는 게 늦어요. 조영래가 시간 안 지키기로 유명합니다. 1시간 늦는 게 보통이에요. 그 친구가 있었으면 일을 엄청나게 많이 했을 텐데."

시간 약속을 잘 안 지키는 조영래의 버릇은 대개 듣던 이야기나 하던 일을 끊지 못해서 늦는 경우였다. 조영래는 남의 이야기를 중간에 끊거나 건성으로 듣지 못했다. 그리고 지각은 중고등학교 때부터 약간은 체질화된 것이기도 했는데, 매사에 얽매이기 싫어하는 성격이 시간에조차 구애받는 것이 싫었으리라는 변호를 해 주고 싶다.

한 시대의 명문이 된 '부천서 사건 변론서'는 법정에서 다섯 명의 변호사가 나누어서 읽었다. 홍성우, 황인철, 이돈명, 조준희 그리고 마지막 부분을 조영래가 낭독했다. 조영래가 읽은 마지막은 방청석을 꽉 채운 사람들을 울릴 만큼 감동이었다. 조영래도 목이 메고 눈물을 흘렸다.

권 양은 우리에게 '진실의 비밀은 용기뿐'이라는 교훈을 온몸으로 가르쳐 주었습니다. 우리는 이제 이미 이 혼탁하고 타락한 세대의 신화가 되어 버린 권 양의 투쟁에서, 일찍이 김수영 시인이 노래하였듯이 '어째서 자유에는 피의 냄새가 섞여 흐르는가'를 배웠습니다.

권 양이 처음으로 우리에게 다가왔을 때는 슬픔과 절망으로 왔으나, 이제 우리는 가슴 가득한 기쁨과 희망으로 권 양의 승리에 대하여 증언하고자 합니다. 우리는 권 양이 이미 도덕적인 승리를 거두었다고 말한 바 있으나 이제 머지않은 장래에 현실적으로도 완벽한 승리를 거두게 될 것을 믿어 의심치 않습니다. 이 엄청난 사건의 진실은 만천하에 낱낱이 공개될 것이며, 그 진실을 왜곡하고 은폐하려 들었던 모든 어리석고 비겁한 책동은 하나도 남김없이 타파될 것입니다.

이 진실의 최종적인 승리를 위하여 지금 이 자리에 선 우리 모두는 권 양이 우리에게 바친 헌신에 만의 일이라도 보답할 수 있도록 각자의 최선을 다할 것을 약속하여야 한다고 믿습니다.

이제 저 잔혹하였던 여름과 가을을 지나 권 양은 이 법정에 섰습니다. 우리가 마지막으로 눈물로써 호소하고자 하는 것은 빛나는 영혼의 아름다움을 간직한 순결 무구한 처녀는 이 시대의 모든 죄악과 타락과 불의를 속죄하는 재물로서 역사의 제단 앞에 자신을 바쳤으며, 우리 중 그 누구도 이 시대에서 가장 죄가 없는 이 처녀는 더 이상 단 한시라도 차디찬 감옥 속에 갇혀 있게 하는 죄악에 공범자가 되어서는 안 된다는 사실입니다.

　우리의 권 양, 온 국민의 가슴속 깊은 곳에 은밀하고 고귀한 희망으로 자리 잡은 우리의 권 양은, 즉각 석방되어야 합니다.[25]

조영래는 장문의 변론서를 밤을 새워가며 썼다. 글을 쓸 때면 손에서 놓지 않는 담배가 아침이면 꽁초가 되어 수북하게 쌓여 있었다. 짧은 글 하나도 고민하고 고치느라 밤을 새우던 그였으니, 이 역사를 바꿀 변론에 얼마나 큰 공력을 들였는지는 짐작하고도 남음이 있다.

권인숙에 대한 성고문, 이듬해 벌어진 박종철 고문치사 사건으로 적나라하게 드러난 독재정권의 폭력성과 부도덕은 결국 전 국민적인 저항으로 이어졌다. '고문 없는 세상에 살고 싶다'는 명쾌한 호소는 민주주의가 짓밟힌 우리 사회의 슬픈 구호가 되어 모든 사람의 가슴을 파고들었다.

1987년 6월 항쟁 기간 조영래는 '민주헌법쟁취 국민운동본부'에 지도부로 참여하여 온몸을 던져 싸운다. 당시 민주, 인권변호사들은 '정법회'라는 단체를 만들어 활동하고 있었는데 86년 5월에 창립한 정법회 역시 조영래가 주도적으로 만들었다. 앞선 선배 인권변호사들과 조영래, 박원순, 하죽봉 변호사 등 노장과 젊은 변호사들 30여 명이 모인 인권변호사들의 총 집결체였다. 정법회는 그 후에 '민주사회를위한변호사모임(민변)'으로 발전하게 된다. 당시로써는 드물게 시민 운동체 같은 친숙한 이름을 지은 것도 조영래였다.

감격과
절망

1987년 6월은 숨 가쁘게 돌아갔다.

민청련 의장 김근태의 고문 사건과 부천경찰서 성고문 사건 이후 터져 나온 치안본부 박종철 고문치사 사건은 모든 민주 세력을 한곳에 모으는 계기가 되었다. 반정부 민주화 운동이 급격히 고양되자 위기감을 느낀 정권은 '4·13 호헌조치'를 발표하였다. 그러나 그것은 끓어오르는 국민의 분노에 기름을 끼얹는 격이었다. 많은 사람이 결정적인 싸움의 시간이 다가오고 있음을 온몸으로 느낄 수 있었다. 4·13 호헌조치를 반대하는 학생들의 분신이 잇따르고 단식농성, 가두시위, 성명서가 날마다 발표되었다. 신부, 목사, 교수 등은 말할 것도 없고 연예인이나 공인중개사, 의사, 약사, 가수, 간호사, 교사들도 시국 성명에 동참하였다.

6월 10일, 42년의 독재를 끝장내자는 의미로 성공회대학교

스피커에서 마흔두 번의 종소리가 울려 퍼졌다. '박종철 고문사건 은폐조작 및 호헌철폐 국민대회'라 이름 붙인 본격적인 항쟁의 시작이었다. 그 전날 연세대학교 학생 이한열이 직격 최루탄에 맞아 사경을 헤매고 있다는 소식까지 날아들어 국민의 분노는 하늘을 찔렀다. 그리고 이후 19일 동안 호헌철폐와 독재 타도의 함성은 전국을 휩쓸어 마침내 직선제 개헌을 수용한 '6·29선언'을 불러왔다. 수백만 명이 참여한 위대한 항쟁이었고 승리였다.

6월 민주 항쟁이 시민의 승리로 귀결되었을 때 조영래의 감격은 이루 말할 수 없었다. 기나긴 민주화 투쟁 속에서 처음으로 승리한 싸움이었다. 정권이 항복한 6·29선언이 발표되어 온 국민이 승리와 미래에 대한 기대에 들떠 있을 때 조영래 역시 감격에 겨워 《동아일보》에 기고한 글에서 6월 민주 항쟁에 대하여 이렇게 썼다.

'6·10 대회에서 6·26 대행진을 거쳐 6·29 선언에 이르기까지 세계를 뒤흔든 20일간에 우리 국민은 민주주의를 위한 명예혁명이라고 불러도 좋을 만한 위대한 역사를 체험하였다. 이 혁명의 모든 과정이 완결된 것도 아니고 도처에 복병처럼 도사린 위험이 전부 제거된 것도 아니긴 하나, 그럼에도 이제 우리가 민주화의 분수령을 넘어섰으며 더 이상 과거로 되돌아갈 수 없게 되었다는 것은 의문의 여지 없이 명백하다. 아직도 민주화의 전도를 의심하고 불안을 표시하는 사람들이 있는 듯하나, 나는 우리가 긴장과 경계를 늦추지 않는 가운데서도 기본적으로는 민주주의의 승리에 대한 건강한 낙관과 흔들림 없는 확신을 가지고 최종적인 승리를 향하여 한 걸음 한 걸음 확실하게 전진하지 않으면 안 된다고 생각한다……'[26]

6월 민주 항쟁을 러시아 혁명에 빗대어 '세계를 뒤흔든 20일'이라고 표현한 데서 조영래가 얼마나 감격적으로 항쟁을 바라보았는지 알 수 있다. 6월 민주 항쟁은 이승만부터 박정희, 전두환으로 이어지는 길고 긴 독재의 사슬을 끊은 위대한 민주혁명이었고 그 충만한 기운은 각계로 퍼져 사회 전체에 민주주의에 대한 요구가 들끓고 있었다. 그 힘을 거스를 수 있는 것은 없어 보였다. 적어도 항쟁으로 쫓겨난 세력에게 다시 권력이 돌아가리라는 상상은 그 누구도 할 수 없었다.

6월 민주 항쟁 직후 감격이 아직 남아 있던 7월 초에 쓴 〈최루탄과 경적〉이라는 글 또한 조영래의 글재주가 얼마나 뛰어난지 보여 주는 명문 중 하나다. 풍자와 해학이 넘치는 이 글은 여타 조영래의 글과 다른 맛을 선사한다. 그중 백미인 일부다.

……최루탄의 맹위가 여기에 이르매, 부득불 몇 마디 말

로써 그 공덕을 기리고 그 성미를 달래지 않을 수 없다.

크도다! 최루탄이여. 바람을 타고 사람의 무리를 뒤쫓으매, 사람들은 네가 동으로 몰면 동으로 밀려가고 서로 몰면 서로 밀려가고 눈 깜짝할 사이에 사면팔방으로 흩어지니 그 황급함이 이루 말할 수 없구나. 예부터 이르기를 인중승천 人衆勝天이라, 사람의 무리는 하늘보다도 승하다고 하였으되, 그 사람의 무리란 것도 네 앞에서는 한낱 짚단과 같고 검불과 같으니 너는 필시 하늘보다도 높은 것이 분명하다.

크도다! 최루탄이여. 너는 가지 못하는 곳이 없고 아무도 차별함이 없으니, 갓난아이를 안은 주부가 탄 시내버스 속으로도 파고들고 제1야당 총재의 승용차도 넘보며 학교와 병원, 주택, 상가, 교회, 성당을 가리지 않고 넘나드는구나. 너는 실로 '어느 곳에나 존재하는 자'로다.

크도다! 최루탄이여. 전국 각지에서 네 무용담이 우레와 같이 들려온다. 광주 원각사의 법당 안으로 성큼 뛰어들어 영겁의 미소 속에 잠든 부처님의 단꿈을 깨웠으니, 아마도 천상천하유아독존天上天下唯我獨尊의 부처님께 '매운맛'을 보여드린 것은 동서고금을 통틀어 네가 처음이 아닐는지, 마산에서는 네가 한번 공설운동장의 높은 담을 넘어 들어가매 이역만리 이집트에서 언감생심 하늘 높은 줄 모르고 한국 축구에 도전하려고 찾아왔던 나일과 피라미드의 후예들이 그대로 땅바닥에 주저앉아 눈물만 흘리다가 돌아서는구나. 이제 너의 명성이 사해四海에 전파되면 앞으로는 어리석은 이방인들이 함부로 스포츠 한국에 덤벼들기를 삼가게 될 것이로다.

크도다! 최루탄이여, 네가 없었더라면 이 세상의 질서가 어찌 될 뻔하였는지 70m를 직선으로 나는 탄환의 위력으로써 인명을 살상할 수 있다는 사실이 알려짐으로써 온 천하가 너의 위엄 앞에 전율하고 있다.

그러나 최루탄이여! 사물의 이치가 항용 그렇듯이 너의 영광이 절정에 다다른 이 순간에 나는 너의 몰락이 준비되고 있음을 본다. 열흘 붉은 꽃이 없고 달도 차면 기우는 법, 자고로 공명을 이루고 나면 조용히 몸을 빼어 물러나는 것이 우리 선현들의 처신이었건만 너는 나아갈 줄만 알고 물러설 줄을 모르니 내 너를 위하여 이것을 슬퍼하노라.

돌이켜 생각해 보면 너는 애초부터 만능이 아니었다. 지난 4반세기 동안 네 독성이 갈수록 흉맹해져 왔음에도 불구하고 거리의 혼동은 좀체로 수그러들지 않고 도리어 더욱 거센 기세로 확산되고 있지 않은가? 너의 큰 약점 중의 하나는 그 공격의 무차별성에 있으니 데모를 하는 사람이건

길가는 행인이건 가리지 않고 엄습하여 남의 눈에 억지 눈물을 고이게 한다. 그 뒤끝이 좋을 리가 있겠는가? 너의 치명적인 약점은 순발력에 비하여 지구력이 크게 모자란 점에 있으니 사람들은 네 매운맛을 그다지 오래 기억하지 않는다. 당장 다급한 지경만 모면하고 나면 얼마 전까지의 위축감 대신에 새삼스러운 분노가 치밀어 오른다…….[27]

감격에 더해 신명이 넘치는 글까지 썼건만 정국은 조영래의 바람대로 흘러가지 않았다. 6월 민주 항쟁 주역 중 하나였던 야당 정치인들의 권력욕은 절망적이었다. 조영래처럼 권력이나 명예에 대한 집착이 전혀 없는 사람에게 그것은 어쩌면 아연한 일이었을 것이다.

항쟁 과정에서 하나로 뭉쳤던 정치권이 분열되면서 김영삼과 김대중이 대통령에 출마하려는 뜻을 밝혔고 이는 다시 민주화 운동 세력의 분열로 이어졌다. 조영래가 보기에 두 사람이 단일화하지 않으면 권력은 다시 군부 세력에게 넘어갈 것이 분명했다. 뜻을 같이하는 동료들과 함께 대통령 후보 단일화 운동에 나섰다. 조영래는 한 사람이 대통령 후보가 되고 다른 사람이 당권의 70%를 갖는 식으로 역할을 나누자는 안을 가지고 있었다고 한다. 하지만 온갖 노력에도 불구하고 김영삼과 김대중은 동시에 대통령에 출마했고 결과는 전두환의 계승자인 노태우가 당선되었다.

6월 민주 항쟁에서 나타난 국민의 바람과 정반대의 결과를 가져온 선거는 조영래에게 깊은 절망을 안겨 주었다. 권력 지향적인 두 정치가의 문제뿐이 아니었다. 민주화 운동 세력도 분열되었고 그에 대해 국민들이 느낀 실망은 감당이 어려울 정도였다. 조영래는 1987년 대선 과정에서 내면에 깊은 상처를 입었다. 그리고 무언가 새로운 모색이 필요하다고 생각했다. 물론 민주주의와 인간에 대한 신뢰가 무너진 적은 전혀 없었다. 괴로운 상황에서도 그는 활발하게 신문 등에 글을 발표하며 우리 사회가 뒷걸음치는 것에 대해 목소리를 내었다. 노태우 정권의 반공 소동에 대해 그는 〈과거의 동굴로 돌아가자는 사람〉이라는 칼럼으로 매섭게 질타했다.

오랜 시간을 컴컴한 동굴 속에서 헤매다가 밝은 바깥세상으로 빠져나올 때는 조심조심 눈을 뜨지 않으면 갑자기 햇빛을 쏘여 눈이 멀어 버릴 위험이 있다. 그러나 햇빛이 눈부시다고 해서 뒷걸음질 쳐서 다시 동굴 속으로 기어들어 가려고 한다면 그것처럼 어리석은 짓이 없다. 지금 우리는 길고 지루하였던 구시대의 어둠을 지나 막 민주주의의 눈부

신 햇살이 비치는 새 시대로 빠져나오려고 하는 역사적 순
간을 경험하고 있다. …… 과거의 동굴의 어두침침함 속에서
모든 사회 현상을 좌·우 양극의 대립으로 해소시켜 버리는
이분법적 사고에 길들어 온 사람들의 눈에는, 오늘날 분출
하고 있는 새로운 모든 것, 현상 변화를 지향하는 모든 것—
심지어는 지난 대통령 선거 때의 여당의 집권 공약에 포함
된 것들까지도 '좌익'적인 것으로 비칠지도 모른다. …… '우
익'의 도덕적 기반을 스스로 무너뜨리는 이런 구시대적 행태
가 어째서 아직까지도 계속 돌출하고 있는 것인지, 올림픽
을 앞두고 참으로 부끄러운 일이다.[28]

이 칼럼을 쓰고 얼마 후인 88년 11월, 사무실에서 텔레비전
을 보던 조영래가 무릎을 치며 좋아했다. 국회에서 벌어지고 있
던 제5공화국 비리 특별조사위원회 청문회가 중계되고 있었는
데 한 젊은 정치인이 조영래의 눈에 들어왔다.
"대통령감이 나타났어!"
조영래가 무릎을 치며 좋아했던 그 사람이 노무현이었다. 당
시 노무현은 정계에 입문하여 국회의원에 갓 당선된 초선의원이
었는데 두 사람은 전에 만난 적이 있었다. 1986년 5월 충북 수
안보에서 정법회 창립총회가 있었는데 그때 부산에서 노무현이

올라와 참여했다. 조영래는 듣는 편이었고, 참석자 중 유일하게 부인 권양숙 여사와 함께 온 노무현은 열변을 토했다고 한다.

역시 이 무렵, 후배 변호사가 어려운 경제 사정으로 사무실을 열기 어렵다는 소식을 들었다. 만 스물다섯의 젊은 변호사에게 돈을 빌려주려는 데가 없어서 직접 은행에 가서 대출을 알선했는데, 그 젊은 변호사가 이재명이었다. 그렇게 조영래는 다정다감했고 이야기를 잘 들어 주는 사람이면서 절대 남에게 상처를 주는 일이 없었는데 정작 자신의 몸은 내상이 깊어 가고 있었다. 누구보다 건강한 체질이었던 그였지만 혼신을 다해 매달리는 사건들, 밤새워 쓰는 원고와 변론, 손에서 떨어지지 않던 담배, 무엇보다 민주주의와 인권에 대한 고민 등이 상처가 되어 몸속에서 자라고 있었다. 노태우 정권하에서 스스로 목숨을 던져 항거하는 수많은 젊은이 또한 커다란 아픔이었다. 죽음이라는 결단이 핵심인 《전태일 평전》을 쓴 그가 홀로 새겼을 고통은 상상하기 어렵다. 겨우 마흔을 넘긴 그가 짊어진, 혹은 그에게 우리 사회가 떠넘긴 짐은 얼마였던가. 가장 가까이에서 함께 길을 걸었던 박원순은, 의사는 아니었지만 정확하게 당시 조영래를 진단하고 있다.

"이미, 그는 인권변호사로서, 그리고 문필가로서 전국적 명성을 얻었다. 더 나아가 이 시대의 과제를 해결할 수 있는 지도자로서 기대를 모았다. 그러나 1990년 9월 초순 폐암 3기라는 청천벽력 같은 진단을 받는다. 그는 지나친 흡연과 밤새워 글을 쓰면서 쌓인 과로, 그리고 당시 양 김 분열과 민주정권 창출 실패에 따른 사회적 스트레스 등이 겹쳐 쓰러진 것이다. 불요불굴의 행동과 실천을 지속하던 그도 이 시기에는 조금은 좌절한 것으로 많은 사람은 생각한다."

마지막
나날들

그 고통이 그를 이끌었을까, 1989년 1월 3일에 그는 용인에 있는 백련사를 홀로 찾았다. 아직 개발되기 전, 용인은 서울에서 멀리 떨어진 한적한 읍이었고 백련사 또한 고즈넉함이 남아 있는 교외의 절간이었다. 삶에 지치면 언제나 절을 찾곤 하던 그였다. 그런데 백련사에서 지낸 사흘 중 첫째 날을 기록한 일기에서 희미하게 찾아오는 병마의 기미가 읽히는 듯하다.

"어쩐 일인지 초저녁부터 눕고 싶고, 누웠다 하면 잠이 쏟아진다. 한잠 푹 자다가 일어나 뜰로 나오니 캄캄한 하늘에 별이 사무치게 밝다. 남쪽 하늘 아래로 용인 시가지인 듯 전등 불빛이 요란한데도……

내 인생은 이제 어떻게 되는 걸까? 엄벙덤벙 살 게 될지 뚜렷이 계획이라든지 목표 같은 것을 정하고 아득바득 살 게 될지. 물 흐르듯 살아야 하느냐, 아니냐부터가 넘기 어려운 관문이다.

是非成敗轉頭空시비성패전두공 古今多少事고금다소사 都付笑談中도부소담중 — 이것만 갈수록 절절하게 가슴에 배어드니. 지친 것일까? 상해 버렸나. 알 수 없되, 무언가 잃어가고 있는 것 — 손에 닿을 듯 닿을 듯 가까이 있었는데 놓쳐 버리고 있는 것이 있어서 나를 이 산중에 오게 했다.

저녁 소찬을 하고 제법 걸었다. 역시 체독이 빠져나가는 듯 상쾌함을 느낀다. 그래 잠이 오는 대로 자고 걷고 싶은 대로 걷고 아무 생각 없이 하루 이틀이라도 지내 보자. 은은히 울리던 종소리도 이젠 끊기고 옆방의 비자성鼻子聲만 흐른다. 9시 18분이다. 다시 잠을 청했다. 할머니가 갖다준 이불과 초."[29]

일기 속 조영래는 몹시 쓸쓸한 듯하다. 많이 지치고 피곤한 모습으로 새해를 맞아 그는 늘 마음의 안식처가 되어 주던 절을 찾아왔다. 조금은 편안해서였을까, 자꾸만 잠이 쏟아진다고 했다. 아니면, 그를 이 세상에서 데려갈 암세포 때문이었을까. 그는 즐겨 읊던《삼국지》속 시 구절을 떠올린다. 그 뜻이 또한 어느 정도 지친 조영래의 마음을 보여 주는 듯하다. '옳고 그름과 성공과 실패, 돌아보니 모두 부질없었네. 지난날 있었던 숱한 일들, 웃고 이야기하며 흘어 버리네.' 정도로 옮길 수 있는 글인데, 조영래가 가지고 있는 불교적인 세계관과 마흔 넘어 자신의 삶을 돌아보는 그의 겸허함, 허전함 등이 느껴진다.

조영래는 사흘간 백련사에 머물렀는데, 두 번째 날의 기록을 보면 그가 얼마나 선진적으로 세계와 우리 문제에 대해 고민했는지 알 수 있다. 그는 오전에 간디를 읽고 오후에서 밤늦게까지 《Arbatov》를 읽는다. 급한 마음에 쫓겨 빠르게 읽었다는데, 그는 당시 방한이 예정된 소련의 외교 실력자였다. 나중에 소련의 페레스트로이카를 이끌었다는 평을 들은 아르바토프를 왜 쉬려고 간 절에서 맹렬하게 읽었을까. 그는 이미 소련이 개혁, 개방으로 나아가고 곧 체제가 붕괴될 것을 예감했고 그에 대한 가장 뛰어난 이론가이자 실력자인 아르바토프를 급하게 이해해야 한다고 생각했던 게 분명하다.

그리고 그는 곧 소련으로 가서 직접 현장을 보고 온다.

그해 연말 조영래가 발표한 〈80년대에 우리는 '민주'를 잃었고 '민주화'를 얻었다〉는 제목의 글은 조영래가 어떤 고민과 전망을 하고 있었는지를 보여 주는 중요한 글이다. 80년대를 일목요연하게 정리한 이 글에서 한 가지만 소개하자면, 그는 무엇보다 점점 심해지는 지역감정에 대해 깊은 절망을 토로한다.

"지역감정은…… 맹목적인 집단적 나르시시즘으로 치달았고 급기야는 군부 통치의 완전한 종식과 민주화의 확고한 정착을 위한 대동단결의 요청마저도 때 이른 지역감정의 폭발 앞에 여지없이 외면되고 말았다.

그 해독은 이루 측량할 길 없다. 아직껏 민주화의 기초가 튼튼하지 못하고 5공 청산 문제 하나도 제대로 해결하지 못하고 있는 원인도 이것을 빼놓고는 생각할 수 없다. 취업과 혼인에서까지 마치 무슨 상종할 수 없는 이방인처럼 출신 지역을 엄격하게 따지게 된 이 부끄러운 유산을 언제까지 후대에게 물려주어야 하는가? 이런 상태로 남북 간의 통일을 생각할 수 있는가? 이것을 올바로 극복하고 치유하는 일이야말로 80년대가 남긴 최대의 숙제라고 생각한다."[30]

이 글 외에도 소련을 다녀온 후 쓴 〈공산주의의 위기〉에도 조영래의 균형 잡히고 탁월한 생각이 잘 드러나 있다.

이듬해 조영래는 1월부터 미국 콜롬비아 대학교 인권문제연구소의 초청으로 다섯 달 동안 미국에 머물렀다. 이 몇 달 동안 조영래는 마치 대학생으로 돌아간 것처럼 맹렬하게 공부하며 미국 사회 이곳저곳을 탐구한다. 조영래가 얼마나 공부에 목말랐는지, 그리고 얼마나 풍부한 감성을 가지고 있었는지 보여 주는 일기 한 토막.

"광장 길목에서 뜻밖에 젊은 학생들이 득시글득시글 — 여기저기 옹기종기 모여앉아 웃고 떠들고 햇볕을 쬐고 하는 것을 보았다. 어떤 충격이 왔다. 세월의 뒤안길을 돌아 그토록 그리던 청춘의 고향에 왔건만 몸은 이미 늙고, 날 알던 사람들은 어디 하나 보이지 않고, 잠자다 세월을 놓쳐 버린 립 반 윙클처럼 나는 거기에 끼어들지 못한 채 내 꿈을 내가 구경을 하고 있어야 했다. 외로움, 잔잔한 슬픔, 무엇이라고 표현할 수도 없는 상실감 ― 그러나 이것이 내가 오래도록 바라고 바라던 일이 아니었던가. 병들지는 말자. 슬픔을 달래어 병을 넘어서야 한다. ……공부를 할 기회를 얻기 위해 발버둥 치던 일이 새삼 쓰라렸고, 아직 내 가슴 깊은 곳에 이런 한 같은 것이 응어리져 있었구나 하는 자각.

유학이 아니라 마치 무슨 망명을 오듯 허겁지겁 사무실도 팽개치고 식구들과도 단절하고 떠나 온 것이, 바로 이런 한에서였구나 하는 것을 새삼 선명하게 보게 된다. 내 마음이 왜 그렇게 바빴던가 하는 것도 알 듯싶다."[31]

조영래는 스스로 병마가 찾아왔다는 것을 알았을까. 일기에는 그가 어렴풋이 짐작했다는 느낌을 주는 대목들이 있다. 어쩌면 아내 이옥경에게 절절한 사랑을 고백하는 대목에서조차 그런 기미가 읽힌다. 티 없이 깨끗하고 무구한 사랑이란 이 세상에 존재하는 시간이 길지 않으므로.

"……지금 이 순간 당신은 내 실존의 한가운데로 들어와 말없이 자리 잡았고 나는 당신을 맞아들이기 위하여 모든 것을 깨끗이 비웠소.

　옥경

　이름을 부르니 새삼스레 아득한 그리움이 밀려오는 것은 웬
까닭인지. 우리의 사랑은 때로는 거센 파도처럼 격렬하게 부딪
치고 때로는 불꽃처럼 뜨겁게 타오르고 또 더러는 깊은 절망의
골짜기 속으로 떨어져 내리기도 했지만, 이렇게 저녁 조수처럼
잔잔하게, 애틋한 그리움이 밀려오는 순간 속에서 나는 그 어느
때보다도 당신과 내가 하나로 녹아들고 있다는 것을 확연하게
실감하고 있소⋯⋯."[32]

　우리 시대 그 누가 이토록 아름다운 연애편지를 쓴 적이 있
던가. 조영래가 큰아들에게 쓴 엽서에서도 그가 어떤 사람인지
잘 드러난다. 그리고 그것은 세상의 아버지들이 아들에게 줄 가
장 위대한 가르침이기도 했다.

　"앞의 사진은 뉴욕의 엠파이어스테이트 빌딩이다. 아빠는 네
가 이 건물처럼 높아지기를 바라지 않는다. 세상에서 제일 돈
많은 사람이 되거나 제일 유명한 사람, 높은 사람이 되기를 원
하지도 않는다. 작으면서도 아름답고, 평범하면서도 위대한 건
물이 얼마든지 있듯이 ― 인생도 그런 것이다. 건강하게, 성실하
게, 즐겁게, 하루하루 기쁨을 느끼고 또 남에게도 기쁨을 주는
그런 사람이 되기를 바랄 뿐이다. 실은 그것이야말로 이 엠파이

어스테이트 빌딩처럼 높은 소망인지도 모르겠지만······."[33]

미국에서 돌아온 조영래는 이미 병이 깊어 있었다. 여름인데도 전과 달리 추위를 타고 밭은기침이 그치지 않았다. 결국 폐암 3기라는 진단을 받았다.

병원에서 항암치료를 받았지만 병을 돌이키기에는 이미 늦어 보였다. 조영래는 곡성의 태안사에서 보름 동안 참선에 들다가 다시 서울로 돌아왔다. 이미 죽음을 받아들인 그는 평온했다. 조영래는 1990년 12월 12일 눈을 감았다.

마흔셋, 짧았지만 이 땅에서 살았던 그 누구보다 아름다운 삶이었다.

1. 조영래, 《전태일평전》, 17쪽, 2020년, 아름다운전태일.

2. 조영래, 《전태일평전》, 17쪽, 2020년, 아름다운전태일.

3. 조영래, 《전태일평전》, 17~19쪽, 2020년, 아름다운전태일.

4. 조영래, 《전태일평전》, 21쪽, 2001년, 돌베개.

5. 조영래, 《전태일평전》, 21쪽, 2020년, 아름다운전태일.

6. 전국대학생 반독재투쟁 민주동맹 서울대 투쟁위원회, '우리의 투쟁은 멈출 수 없다', 〈3선 개헌 반대〉, 1969년 9월 3일.

7. 전국대학생연맹, 〈4·19 10주년 백서 : 학생운동의 나아갈 길〉, 1970년

8. 〈재단사 분신 자살 기도〉, 《한국일보》, 1970년 11월 14일 자.

9. 조영래, 《전태일평전》, 21~27쪽, 2001년, 돌베개.

10. 이옥경(이대 신문학과 4년), '양심의 아픔 없는 안락을', 〈잡기장〉, 《동아일보》, 1971년 6월 3일 자.

11. 공소장

12. 김지하, '불귀', 〈고행…… 1974〉, 《동아일보》 1975년 2월 25일 자.

13. 김지하, 〈고행…… 1974〉, 《동아일보》 1975년 2월 26일 자.

14. 김지하, 〈20년 만의 참회, 그리고…〉, 《동아일보》, 1991년 2월 17일 자.

15. 김지하, 〈양심선언〉, 민주화운동기념사업회 오픈아카이브, 1975년 5월.

16. 김지하, 〈양심선언〉, 민주화운동기념사업회 오픈아카이브, 1975년 5월.

17. 김지하, 〈양심선언〉, 민주화운동기념사업회 오픈아카이브, 1975년 5월.

18. 조영래, 〈전태일 동지 추모비〉, 민주화운동기념사업회 오픈아카이브.

19. 조영래, 〈노동자의 불꽃〉, 《진실을 영원히 감옥에 가두어 둘 수는 없습니다》, 286~301쪽 일부, 창작과비평사, 1991년.

20. 조영래, 〈겨울의 배반〉, 《진실을 영원히 감옥에 가두어 둘 수는 없습니다》, 284~285쪽, 창작과비평사, 1991년.

21. 홍성우, 〈추도사〉, 《진실을 영원히 감옥에 가두어 둘 수는 없습니다》, 343~344쪽 일부, 창작과비평사, 1991년.

22. 문재인, 《운명》, 182쪽, 가교

23. 조영래, 〈의견서-25세 여성조기정년제, 주부 가사노동 가치에 관한 건〉, 민주화운동기념사업회 오픈아카이브, 1985년 6월 19일.

24. 조영래, 〈변론 요지서-권인숙 사건에 관한〉, 민주화운동기념사업회 오픈아카이브, 1986년 11월 21일.

25. 조영래, 〈변론 요지서-권인숙 사건에 관한〉, 민주화운동기념사업회 오픈아카이브, 1986년 11월 21일.

26. 조영래, 〈직선제 개헌에 대해서〉, 《동아일보》1987년 7월 20일 자.

27. 조영래, 〈최루탄과 경적〉, 《가정조선》 1987년 7월호.

28. 조영래, 〈과거의 동굴로 돌아가자는 사람〉, 《한겨레신문》 1988년 9월 1일 자.

29. 조영래, 〈일기〉, 《진실을 영원히 감옥에 가두어 둘 수는 없습니다》, 275~276쪽 일부, 창작과비평사, 1991년.

30. 조영래, 〈80년대에 우리는 '민주'를 잃었고 '민주화'를 얻었다〉, 《주부생활》, 1989년 12월호.

31. 조영래, 〈일기〉, 《진실을 영원히 감옥에 가두어 둘 수는 없습니다》, 278쪽 일부, 창작과비평사, 1991년.

32. 조영래, 〈편지〉, 《진실을 영원히 감옥에 가두어 둘 수는 없습니다》, 281쪽 일부, 창작과비평사, 1991년.

33. 조영래, 〈편지〉, 《진실을 영원히 감옥에 가두어 둘 수는 없습니다》, 282~283쪽 일부, 창작과비평사, 1991년.